JN055627

徳島新聞一面コラム

鳴潮

木下　一夫

はじめに

徳島新聞一面の鳴潮（めいちょう）は、80年近く続く弊紙の看板コラムです。有難いことに、２０１６年には書き写しグループの「鳴潮くらぶ」が発足するなど、多くの読者に親しんでもらっています。

このコラム集は、著者木下一夫が、鳴潮を担当する論説委員会に所属した13年4月〜22年3月の9年間に執筆した１８５０本余りの中から、２５７本を厳選したものです。社内有志による編集委員会が、膨大な数のコラムを読み直し、もう一度読んでもらいたい、本に残したいと考えるものを選び、タイトルを付け、年度ごとに収めました。

「私」を真ん中に置くコラムには、書き手の人となりがにじみ出ると思います。己をさらけださなければ、読者の心に響くものはお届けできません。大げさなようですが、記者にとっては身を削る苦行なのです。

オンもオフもなく、３６５日24時間、この任に当たってきたコラムニスト木下の口癖は「意外といけるんよ」。飄々とした風貌に反し、書くものには揺るぎのない信念があります。人間的であることを問い、強いもの、権力に抗う―。同書にも必然的にこの分野が多くなりました。これが木下一夫の仕事です。

改めて書き写しをしてくれる方もいるでしょうか。字数を揃えるため、肩書や年齢、日付等は、新聞掲載当時のままとしました。ご了承ください。

鳴潮コラム集編集委員会

目次

2013年度

この年度の出来事

- 障害者差別解消法公布（6月）
- 徳島駅前の大型商業施設「とくしまCITY」閉店（7月）
- プロ野球東北楽天が初の日本一（11月）
- サッカー徳島ヴォルティスが四国勢初のJ1昇格（12月）
- 特定秘密保護法公布（12月）
- 三好市の景勝地「大歩危」が国の天然記念物指定（3月）

祖母

中学生のころだったか。母親が長年納めていなかった用水代を払うと言い出した。「役場の人に、そろそろ払ってと頼まれたんよ。ばあさんが死んで10年以上になるけんな」。妙なことを言うな、と思ったら、これには事情があった。

「ばあさん」は、23歳の息子を日中戦争で亡くした、いわゆる「靖国の母」である。東京五輪の翌年、89歳で大往生を遂げた。跡継ぎとして養子に迎えられた母親によると、未払いの経緯はこうだ。

戦後すぐのこと。使っていない農業用水の代金がなぜ必要かと激怒。役場に乗り込んだ祖母は担当者をつかまえて、たんかを切った。「払えと言うなら息子を返せ」。以来、請求は来なくなった。

息子の戦死と用水代は関係がない。むちゃな理屈だが、それだけに切ない。傷口から、まだ血がしたたっていた頃である。「息子を返せ」と叫びたかった父母は、他にも大勢いただろう。本当は用水代などどうでもよかったのかもしれない。

憲法改正が現実味を帯びてきた。押しつけやまやかしはもうたくさんと改憲派。「いつか来た道」を歩むのかと護憲派。合理的に考えれば、よもやあの時代に戻ることはあるまいが、時に人の世は不合理な力によって動かされることもある。

間もなく憲法記念日。施行から66年になる日本国憲法と、どう付き合っていくのか。祖母の遺影の鋭い眼光を思い浮かべながら考える。

（2013・5・1）

子どもの日に

魔女の話を。といっても故サッチャー元首相のことではない。英国では元首相への面当てに、古いミュージカル曲「鐘を鳴らせ！　悪い魔女は死んだ」がヒットした。ここでは悪趣味が過ぎる、とだけ言っておく。

書きたいのは欧州で中世から近世にかけて起きた魔女裁判のことである。数万とも数十万ともいわれる人々が殺された。百年戦争で活躍したジャンヌ・ダルクも異端者として火刑に処せられている。

無実の人に罪を着せるため、科学や哲学、法学も手を貸した。俗説を集めて理論書が編まれ裁判が正当化された。17世紀末、ようやく下火になる。

降り掛かる火の粉をいとわず反対する人はいた。その一人、詩人シュペーは裁判で聴罪師も務めた。無実の人が火刑台に送られることに悩み、若くして髪の毛が灰色になったという。経験を基に学者の〝屁理屈(へりくつ)〟を非難した。

哲学者ベンヤミンが、子ども向けのラジオ原稿に書き残す。「彼は、学者ぶることや頭が切れることよりも、人間的であることを重んずるのがいかに大切であるかを立証した」(「子どものための文化史」平凡社)。放送されたのはナチズムがドイツを覆う1930年前後。ユダヤ系で、程なく国を追われるベンヤミンには格別の思いがあっただろう。

こどもの日は、親がその役割を再認識する日でもある。人間的であることの大切さを、さあ、どう伝えよう。

(2013・5・5)

昭和の精神史

ミャンマーへ旅立つ安倍晋三首相をテレビで見て、ふとドイツ文学者・竹山道雄の「昭和の精神史」を読み返してみたくなった。なぜというのも、あまりに単純で恥ずかしいのだが、竹山は「ビルマの竪琴」の著者である。

それにしても、なぜああいうことになったのだろう？　戦争終結から10年がたった1955年、竹山が胸にしまっていた疑念を納得いくまで考えた結果が「精神史」である。五・一五事件から説き起こし、日中戦争、日米開戦、そして敗戦へと書き進んでいく。

随所で立ち止まり、当時主流だった進歩主義史観に疑問を呈す。締めくくりは東京裁判への違和感。こうくれば保守反動、読むのはいいやという人も出てくるのでは。

内容には首肯できない部分もあるし、今となっては目新しいものもない。しかし、凡百の学者より考察ははるかに深く誠実である。自由にものを考えることがいかに大事か教えてくれる。

「理知を無視したために大きな不利を招いた」と敗戦直前に語っている。国の方針はもとより戦争の個々の局面でもそうである。「竪琴」の舞台、ミャンマーでは日本兵14万人近くが戦死した。うち徳島県人は6千人余。

他国との関係で時に激することがあっても、原爆投下を「神の懲罰」などと書く人間と同じ水準に落ちてはいけない。理性と知恵を見失うな。草葉の陰で竹山は言っているかもしれない。

（2013・5・26）

住民が消えた町

東京電力福島第1原発事故から2年余り。住民が消えた町に入った。整備が進み、きれいに区画された水田には、事故がなければ今の時季、稲の苗が青々と育っていただろう。だが、雑草が広がるばかりである。

民家の庭先で草が伸び放題になっている。自動車販売店の大きなガラスは割れたまま。量販店や、原発の交付金でできた運動公園にも人影はない。静かである。福島県楢葉町から富岡町、大熊町。原発に近づくにつれ線量計の数字が音もなく上がった。

2年前まで確かにここに人が住んでいた。事故絡みで現在も避難しているのは約15万人で、うち原発周辺などの避難区域からは約8万4千人に上る。生活再建や賠償、除染といった課題は山積みのままだ。

国土が一部失われたのも同然である。過酷事故の現場を見れば原発という選択肢はもはや、という気になる。輸出にも前のめりの政府は原発へと再びかじを切りたいようだ。それならそれで、ものには順序がある。

この2年でフクシマの何が解決したのか。そもそも万年単位の管理が必要な放射性廃棄物の最終処分場予定地さえ決まっていない。つけは将来にというのはフクシマ後の日本が取るべき態度でない。

後年、あそこがエネルギー政策の転換点と言われるだろう場所に今、立っている。目先の利益を追う政府に、果たして歴史に対する責任を全うする覚悟があるのか。（2013・6・16）

性善説

幼児が井戸に落ちようとしているのに知らないふりをできる人がいるだろうか。それは子どもの保護者に取り入るためか。救って友人たちに自慢するためか。あるいは救わずにいて非難されるのが怖いのか。

いや、どれも違うね。人は誰もが他人の不幸を見過ごせない惻隠の心を持っているんだ、と古代中国の思想家・孟子は説く。対して荀子は、いやいや人間の本性は悪ですよ、と言う。放っておけば人の欲望が社会をめちゃくちゃにしてしまう、と。

科学は「性善説」に軍配を上げるようだ。京都大などのチームは、生後10カ月の赤ちゃんでも、困っている人に同情する気持ちがあるかもしれない、とする実験結果をまとめ、米科学誌に発表した。

青い球体と黄色の立方体のどちらかが一方を攻撃する動画を見せた後、両方の模型を置いた。すると日本人の赤ちゃん20人中16人が、攻撃を受けた方に手を差し伸べたという。チームは「人間の本質は『善』だと示唆している可能性がある」と結論づけた。

性善説も性悪説も、実は目指す方向に言葉の印象ほどの差はない。いずれにしても産声を上げて後の努力なしに良き人にはなれないし、良き社会は築けないのである。

惻隠の心なければ人にあらず、と孟子は語った。人でなしがはびこっている、と思わせるような事がひっきりなしに世界で起きる。「善」が揺れ動いている現代である。

（2013・6・19）

中高生諸君

中高生諸君。よく聞きたまえ。「俺だって本当はやればできるんだ」。こう、うそぶいているうちは、決して努力はしないものである。なぜそんなことが言えるのか、だって？　簡単である。小欄もその一人だからだ。

一歩踏み出す勇気が湧かないのはどうしてか。一つは「やってもできない」ことを思い知るのが怖いからである。自分と向き合うのが怖いのだと言い換えてもいい。

もう一つは、こちらの方がより深刻なのだが、目標に対する情熱が欠けているのである。本当のところは何がやりたいのか、考え直してみるべきだろう。

本紙に毎月「音楽随想」を寄稿してくれている小松島市出身の作曲家住友紀人さんは、高校卒業後に進んだ米国バークリー音楽院でサックスと出合い、これこそ天職と直感したという。一日20時間、それこそ寝る間を惜しんで練習した。

夢は才能だけで実現できるわけではない。努力なき才能は土に埋もれた宝石と同じだ。優雅に見える白鳥も、水の中では足を動かし続けているのである。世評に高い音楽家は杯を重ねるうちに、いつか作品が受け入れられなくなる不安も語った。

中島敦は「山月記」に「人生は何事をもなさぬにはあまりに長いが、何事かをなすにはあまりに短い」と書いた。少し居住まいを正さねばとあまりに長い日々を省みる。これからという時に逝った旧友をしのぶ会でのことである。

（2013・6・30）

天の川

庭に出てふと空を見上げる。たまたま目にした天の川。淡く長く振りまかれた銀の粉。柄にもなく「いとおかし」と清少納言の心持ちを想像してしまう。そんな夜が、ごくまれにある。

星の配置は、あすも大して変わらない。しかし天空では、きょうでなければ、と空模様を気に掛ける二人がいる。織り姫と彦星。仕事熱心な機織りと牛飼いが、引き合わされたばかりに夢中になって、ついには天の川の両岸に引き離される少々いじわるな話。何しろ逢瀬（おうせ）は年に一度なのである。

旧暦の７月７日なら来月。二人の仲に水差す雨の降る確率は、梅雨の今より低かろうに、と同情するが、おや、と立ち止まって考える。地上の天気が悪くても天上界が良くないとは限らない。こちらが雨でも曇りでも舞台は進行しているのでは。

織り姫はこと座のベガ。彦星はわし座のアルタイル。二つの星は14光年以上離れているという。例え光の速度でも、年に１回会うのは無理だ、とやぼなことは言いっこなし。物語の力は、光を超えるのである。はくちょう座のデネブと結べば、夏の大三角形になる。

〈荒海や佐渡によこたふ天河（あまのがは）〉。１６８９年７月、所は新潟・柏崎の北、出雲崎。芭蕉45歳。実際の風景をなぞったのではなく、心象を詠んだとも言われる。関東甲信は、早くも梅雨が明けたとか。きょうは二十四節気の小暑。いよいよ暑さが本格化する。

（２０１３・７・７）

被爆者の訴え

あの時代、世界中の人々は狂気に支配されていたのではないか。例えば、東京大空襲では一晩に約10万人が死んだ。民間人殺傷が恥ではない戦争だったのである。第2次大戦の犠牲者は軍民合わせ4千万人以上といわれる。

アジア、アウシュビッツ…。行き着いた先が原爆だった。世界を豊かにするはずだった最先端の科学技術が、破滅的な破壊力の原子の炎を生み出し、広島で約14万人、長崎で7万人以上の命を奪った。

あの戦争で犠牲になった人なら言うに違いない。狂気に支配されているのは今も同じではないか、君らこそ人類を何回滅ぼすだけの核兵器を持てば満足できるのか、まだ目が覚めないのかね、と。ヒロシマ、ナガサキから68年がたっても、世界にはまだ1万7千発以上の核弾頭が存在する。

状況によっては核の使用を認めるという姿勢で、二度と世界の誰にも被爆の経験をさせない、との被爆国の原点に反する—。長崎平和宣言は、核拡散防止条約再検討会議準備委員会に提出された「核兵器の非人道性を訴える共同声明」への署名を拒んだ政府を非難した。

日本が核軍縮の先頭に立たずにどうするとの被爆者の訴えは、首相の耳にも届いただろう。沖縄・伊江島の平和資料館「ヌチドゥタカラ（命こそ宝）の家」の謝花悦子館長の言葉を思い出す。「戦争というのは人災。ならば、平和も人間がつくるものでしょう」。

（2013・8・10）

怨歌

演歌は歌謡界の成長エンジンだった。「艶歌（えんか）」「援歌」とも言われ、戦後長く庶民の心をつかんで離さなかった。藤圭子さんも歌姫の一人だった。

「歌い手には一生に何度か、ごく一時期だけ歌の背後から血がしたたり落ちるような迫力が感じられることがある」。彼女の歌を「正真正銘の〈怨歌〉である」と、エッセー集「ゴキブリの歌」で絶賛したのは、作家の五木寛之さんだ。

代表曲の「圭子の夢は夜ひらく」が大ヒットしたのは１９７０年、藤さんが19歳の時である。「十五、十六、十七と、私の人生暗かった」。冷たい熱を帯びた情念が、しゃがれた声に乗ってあふれ出した。

人の心の奥底に潜んでいる悲しみを歌い上げたといわれる。世は高度経済成長を謳歌（おうか）していたが、そこから取り残された人も多かった。戦争が終わって25年しかたっていなかった。

そのころテレビではザ・ドリフターズのコントと「怨歌」が同居していた。ギャグ漫画の隣で「はだしのゲン」が原爆への憎しみを語り始めたのは数年後。違和感がなかったのは、癒やされぬ悲しみがまだそこここに漂っていたからか。

ほとばしる情念が乾いてしまったのは、いつのことだろう。演歌は邦楽の一つのジャンルにすぎなくなり、「歌謡界」も過去の言葉になりつつある。もはや「藤圭子」を必要としなくなったこの軽い時代に、情念の歌い手が別れを告げた。

（２０１３・８・24）

言葉の力

35代大統領ジョン・F・ケネディ、弟で元司法長官のロバート・ケネディ、黒人解放運動のマルコムX…。重要人物が次々と凶弾に倒れた米国の1960年代は、暗殺の10年と言いたくなるほど殺伐としている。

公民権運動の黒人指導者マーチン・ルーサー・キング牧師が狙撃されたのは、ケネディ元司法長官暗殺の2カ月前、68年4月4日。人種差別の撤廃と憲法で保障された権利の実現を訴えたワシントン大行進から5年後のことだ。

牧師の言葉としてよく引き合いに出される「私には夢がある」は、大行進でワシントン記念塔前の広場を埋めた20万人を超す群衆に語った演説の一節である。63年8月28日。今年でちょうど50年になる。

演説はリンカーンの奴隷解放宣言から説き起こす。百年たっても人種的不公正の流砂の中にある国の現状を嘆き、非暴力で正義の実現に努めよう、と呼び掛けた。そして―。

「私には夢がある。いつの日かジョージアの赤土の丘で、かつて奴隷だった者の子供たちとかつて奴隷の所有者だった者の子供たちが、兄弟として同じテーブルに着ける日がくるであろうという夢が」(井上一馬著「後世に伝える言葉」小学館)

幾たびも繰り返される「私の夢」。心打つこのくだりは即興だという。あの時代、あの場所でこの人だからこそ。あらためて今、思う。人を、世界を、歴史を動かすのは言葉である。

(2013・8・25)

南三陸町防災庁舎

むき出しの鉄骨が津波の威力を物語っていた。宮城県南三陸町。周囲の民家は流され、骨組みだけとなった3階建ての町防災対策庁舎が、墓標のようにぽつりと立っている。訪れたのは、東日本大震災から1年ほどたった夏のこと。

「6メートルの津波が来ます。避難してください」。津波到達の寸前まで、防災無線で呼び掛け続けた町職員遠藤未希さん＝当時(24)＝と上司の三浦毅さん＝同(51)＝の声がどこかから聞こえてくる気がした。人が、ひっきりなしに来る。庁舎の前で手を合わせ、全国の方言で津波の怖さを語っていた。

大震災を風化させないためにも、犠牲者を追悼する場所として残す。確かに、そんな考えも成り立つ。核の惨禍を伝える広島市の原爆ドームのように、防災庁舎も残せば巨大津波の猛威を示す証人となるに違いない。

しかし、もう目にしたくない人もいるのである。遠藤さんの母美恵子さんは以前、「防災庁舎は娘が流された場所。いつまでも残っているのはつらい」と、胸の内を明かした。ここだけで町職員ら42人が亡くなっている。

保存か、撤去か。揺れ動いていた町は最終的に撤去する方針を固めた。遺族や地元の意向をくんだ判断ならば、それが最善ではないか。

震災遺構の重要性は否定しない。が、もっと大切なのは生きたかっただろう一人一人の思いを伝えていくことである。教訓を生かすことである。

（2013・9・22）

塩塚高原

人を引きつける風景には、どこか尋常でないにおいが備わっている。一木一草に至るまで景色に参加している緊張感とでも言えるだろうか。日常の光景とは明らかな差異がある。

三好市山城町の塩塚高原は、塩塚峰（１０４３メートル）を中心とするこぢんまりとした景勝地だ。それでいてそれなりの風格も備えている。画布は小さくとも描き手は練達の士である。

今の時季ならススキだ。逆光がいい。ややもすると平板だった風景が、光の角度が少し変わると、途端に立体的になる。広がる銀色の穂並みが風にそよげば、光の粒子が波を打つ。

霧がいい。雲海がいい、と言う人もいる。道すがらのヒガンバナの紅。秋がもっと深まれば、どんな色が加わるのか。朝昼晩、季節によってまとう衣を替える。随分とおしゃれである。

高原はあるがままの自然ではない。三好市観光課によると、かつては田畑の肥料となるススキの育成場として使われていた。何世代にもわたる人の営みが積み重なった風景である。放っておけば森に返るため、今も野焼きをして景観を維持している。

そばに誰か、と見回せば、声の主は二、三百メートル向こうの登山道を歩く二人連れ。遠くの声はやけに近いのに、目の前の、手を伸ばせば届きそうな尾根には、なかなかたどりつけない。息を十分整えて、再びカヤ原を進む。〈すすきのひかりさえぎるものなし〉種田山頭火。

（２０１３・９・27）

楽天イーグルス快進撃

38勝97敗。勝率は3割にも届かない。球団が発足した2005年の楽天の負けぶりは、長く語り継がれることだろう。どん底からの出発だった。過去8シーズンでAクラスは1度きり。それがよくぞの快進撃である。

無敗神話の田中将大投手、チームの本塁打数を倍増させたジョーンズ、マギーの両選手、好守の本県出身・藤田一也選手も光る。日本シリーズまで、あと一息だ。

東日本大震災では、仙台市の本拠地が被害を受けた。当時のスタジアム部長・堀江隆治さんは振り返る。「復旧工事には葛藤があった。もっと他にやることはあるんじゃないかと」

ファンの声に後押しされた。津波で家を流されても入場券を買い続けた人がいた。宮城県石巻市の避難所に身を寄せていた被災者は言った。「楽しみは野球だけなんだ」。励まし励まされ、震災発生から約50日後、本拠地での開幕戦を迎えた。

「もともと、ほぼ滅んでいた東北の過疎地。復興は不要」と経済産業省の官僚がブログに書き物議を醸している。こんな人にファンの気持ちは分かるまい。悪口雑言は人口減が進む本県にも向けられていると解釈できなくもない。

過疎地に根を張って懸命に暮らす人がいる。そのことに思いが至らないのは、官僚の中でも果たして少数派か。五輪開催が決まり、東京一極集中が加速しそうな年だからこそ、楽天の初優勝にはなお意味がある。

（2013・9・28）

踏切救助中の死

「助けなきゃ」。そう叫んで車から飛び降り、線路に横たわる男性の元に駆け寄ったのだという。踏切で男性の救助中に亡くなった村田奈津恵さんの通夜が、きょう横浜市で営まれる。「周囲に気を使う、とても優しい性格の子」。気丈に振る舞う父親の姿をテレビで見ていて胸がかきむしられる思いだった。仏教で、人間が直面する八つの苦しみの一つとされる愛別離苦。愛する者との別れ、それも子を見送らねばならなくなった親の悲しみは、どれほど深いことか。

優しい人であればこそ、そんな苦しみを両親に背負わせていいと考えていたはずはないだろう。自らの命を顧みない立派な行為だが、村田さんも死ぬと分かっていながら飛び込んだわけではあるまい。

とっさの判断に、どこか誤りがあったのか。それとも死に瀕した人を目前にすると、全てを忘れ手を差し伸べずにはいられない衝動が、人の心の中には眠っているのだろうか。

もう10年以上も前になる。東京のＪＲ新大久保駅で、韓国人留学生と日本人カメラマンがホームから転落した酔客を救助中、電車にはねられて亡くなる事故があった。急迫した状況を前にすれば、人は民族や歴史認識の違いも乗り越えるのである。

見ず知らずの１人を救おうと必死になる人がいる。一方、大勢の命を奪うことに何のためらいもない人がいる。この落差は何だと村田さんの死に思う。

（２０１３・10・６）

アンパンマン

それは誰にでもできることじゃない。晴れた日も曇った日も、いつだって、人に生きる勇気を与える。いかに難しいことか。

それをやってのけているヒーローがいた。たかがアニメのキャラクター、と軽くみていたその力を知ったのは、もう15年以上前、子どもが徳島大学病院に入院していたときのことだ。彼は名をアンパンマンという。

言葉もほどよく分からない小さな子どもが、目を輝かせるのである。アンパンマンと一緒ならば、痛みや恐怖と闘おうとするのである。生きる勇気や希望といった、そもそも理屈では説明できない事柄を、彼はしなやかに教えていた。

同じころ取材した重い病気の子の傍らには、作者やなせたかしさん直筆の色紙があった。詩の交換をした子もいる。「ゆうきのはなは／みえないけれど／こころのなかでさく」。やなせさんはこんな詩を贈っている。

優しさに形を与えればアンパンマンになるのかもしれない。誕生し40年余りがたつ。救われた子は、どれほどいるだろう。そして今、この瞬間も、勇気の鈴をりんりんと鳴らし続けている子は、どれほどいるだろう。

やなせさんは漫画家であり詩人である。いずみたくさん作曲の「手のひらを太陽に」を作詞したことでも知られる。訃報に接してあらためて思う。「みんなみんな生きているんだ友達なんだ」。面食らうほど素朴だが、真実に違いない、と。

（2013・10・16）

戦争マラリア

沖縄県竹富町は八つの有人島からなる。この町を含む八重山地方には、沖縄以外ではあまり知られていない史実がある。大戦末期の1945年、疎開先の山中でマラリアに感染して、3647人が亡くなった「事件」だ。地元では「戦争マラリア」と呼ばれる。

死亡率が高かったのはもともとマラリアとは無縁だった日本最南端の有人島・竹富町波照間島の住民である。米軍の上陸に備えるとの理由で、軍に西表島の有病地帯への疎開を強いられた結果だ。島民の懸念通り、1590人の9割が発病、45年末までに約480人が死んだ。

10年ほど前、取材に重い口を開いてくれた女性がいた。生死の境をさまようこと3カ月。回復した時、家族は誰もいなくなっていたという。1人で16人分の死亡届を出した。「またと、こういうことのない世の中にしていただきたいねえ」。涙を拭った。

西表島の疎開先近くの海岸には「忘勿石」と刻まれた岩がある。娘を含む66人の教え子を失った波照間国民学校の校長が帰島前に彫った。現在、祈念碑が立つ。

下村博文文部科学相はきのう、保守色が強いとされる育鵬社版中学公民教科書を拒む竹富町教委に、是正を要求するよう沖縄県教委へ指示した。忘勿石之碑保存会の平田一雄会長に意見を求めると――。「教科書にこだわる背景に戦争マラリアの記憶もある。竹富の教育長は波照間の出身です」。

（2013・10・19）

サンショウウオを追い掛けて

大してかわいいとも思えないのだが、自他共に認める物好きである。阿波市の元教員田村毅さんは83歳。サンショウウオを追い掛けて40年以上になる。昨年、三好市東祖谷の黒笠山で、県内では目にするのも難しいハコネサンショウウオの産卵場所を確認、生態を解明した。

京都大の研究者の調査で今年、新種と判明し「シコクハコネ」と命名された。教え子らの協力もあっての発見である。さぞ、うれしかろう、と感想を聞くと「正直に言えば複雑だ」。

30年近く温めてきた推論の誤りが決定的になったからである。きつい山道を徒歩で数時間。現場までは半日がかり。そこに通い詰めて、産卵場所は砂の中に違いないと確信し、先年、本にまとめた。ところが、実際には積み重なった岩の奥深くに卵はあった。

それまでの苦労も決して無駄ではなかったという。新たな発見も、長い観察の蓄積があってこそ。「世の中に無駄な努力なんて一つもない。そう思いますよ」

人間は時として、満たされるか満たされないか分からない欲望のために一生を捧げてしまう。その愚を笑う者は結局、人生に対する路傍の人にすぎない、と芥川龍之介は「芋粥（いもがゆ）」で記す。

田村さんのように、誇りにできる結果がつかめなくてもいい。生涯、夢中になれる何かと出合えるかどうか。芋粥を夢見た小説の主人公はともかく、路傍の人になるのはつまらない。

（2013・10・20）

ネットの怖さ

金の問題ではなかったのだろうが、どうしてそこまで、と率直に思う。不良品だとして突き返したのは、たかだか980円のタオルケットなのである。量販店の従業員が土下座した瞬間、強要したとされる元介護職員の心に、どんな模様が立ち現れたのか。

元職員は謝罪の様子を携帯電話で撮影し、従業員の氏名、中傷するコメントとともに短文投稿サイト「ツイッター」に掲載したという。店側の応対に何か不備があったのかもしれない。仮にそうだとしても理解に苦しむ。

検察は土下座強要については不起訴処分としたものの、ツイッターへの投稿は容赦しなかった。「一度インターネット上で画像が広まれば回収不可能で、被害が永遠に続く。模倣性も高い」と。札幌簡裁は名誉毀損（きそん）罪で罰金30万円の略式命令を出した。

話はこれで終わらない。元職員、さらに夫や子どもとされる写真までネットで今、さらしものにされている。本物だとすれば、自業自得としても、あまりに高い代償だろう。他人を傷つける以上、自分も同じ目に遭う可能性がある。悪意のある人間はいくらでもいる。

人には理性がある。その壁をやすやすと突き破って、醜い部分を引きずり出す力がネットにはあるようだ。貢ぎ物のごとく公開される常識を外れた写真や文を目にすれば、人の心が、世界同時進行でむしばまれつつあるのでは、という気にもなる。

（2013・10・27）

米作り転換期

人生のいくらかを漫画で学んだ。「一粒の米の中には、七人の神様がいる」。野球漫画の傑作、水島新司さんの「ドカベン」で覚えた。戒めの言葉は確かこう続く。「だから一粒でも残したら罰が当たる」

主人公の山田太郎君。学校へ持参するアルミの弁当箱は一体何合入るのだ、とあきれるぐらいに大きい。文字通りの「ドカベン」である。祖父の教えを忠実に守って、梅干し一つの「日の丸弁当」を一粒残さず平らげる。

統計によると、漫画の連載が始まった1972年の米消費量は、1人当たり年間91・5キロ。今では60キロを割り込んでいるから、この40年で30キロ余り減ったことになる。

米離れが進み、山田君の弁当箱でいえば3分の1がおかずになったのである。これまでと同じ枠組みを守っていても米作りはいつか行き詰まる時がくる。環太平洋連携協定（TPP）の烈風が吹けば、軒並み倒伏しかねず、減反見直しはやむを得まい。

アーティスト・イン・レジデンスの作品展覧会（4日まで）が開かれている神山町で、昔ながらの稲の天日干しを見た。農業に効率だけを持ち込めば、山あいのこうした風景はやがて消えよう。郷愁に浸る余裕はない、と切り捨てていいものか。

脈々と数千年、米作りは日本の景観や日本人の心を培ってきた。転換期の今、10年後、20年後の景色をしっかりと見据えたい。神々もさぞご心配だろう。

（2013・11・3）

喜びも悲しみも

とりわけ戦後のある時期まで、「東京」は日本人にとって、特別な響きを持つ語だったのではないか。焼け野原から立ち上がり、活気を取り戻す都市の姿は、一人一人が先の戦争にけりをつけて前へ進んでいく、その象徴として、現在とは比べものにならないほどに輝いていただろう。

島倉千代子さんの「東京だョおっ母さん」が世に出たのは1957年のこと。戦争の残り香が、まだ至る所で漂っていた。歌の母娘は、二重橋で記念写真を撮り、靖国神社を参拝する。「逢(あ)ったら泣くでしょ兄さんも」。2人はどんな思いで九段の坂を歩いたのか。

大ヒットしたこの歌に亡くした人の記憶を重ね、ほおを濡らした聴衆も多かったに違いない。島倉さんの哀愁を帯びた「泣き節」の奥底には、戦争の悲しみが沈殿しているのかもしれない。

知人の手形の裏書をしたのがもとで背負った億単位の借金、プロ野球のスター選手との離婚、がんとの闘い…。私生活では何度も辛苦を味わった。まさに「人生いろいろ」だった。だからこその説得力で人の心を揺さぶった。「歌が生きがいだったから続けてこられた。命ある限り、声が出る限り、歌い続けていきたい」。99年に紫綬褒章を受けた際には、そう述べていた。

「日本人の心を歌うのが、私の歌」。喜びも悲しみも歌と共にある。昭和歌謡の真骨頂を体現した歌い手が静かにマイクを置いた。

（2013・11・9）

夢をあきらめない

Ｇａｋｕｓｈｉさんといっても、それ誰？となる人がまだ多いに違いない。本名・藤川学史、32歳、吉野川市出身。ＡＩや加藤ミリヤといった若者に人気のアーティストのライブに欠かせないキーボード奏者だ。バンドマスターでもある。

帽子を斜めにかぶった、いかつい風貌に似合わず優しい人である。名西高校音楽科を卒業後、すぐに上京。プロの音楽家に弟子入りした。「ミュージシャンを目指したところで、音楽の素養が十分になく、最初はかなりひどかった」と照れる。

鍵盤に触れたのは15歳の時。出だしは遅かった。夢を追うのもいいけれどかなうわけがない、とたしなめられ、数年で見切りを付けるのが大方だろう。実際、断念した仲間も少なくないという。

1年先輩にチェリストの板東真由美さんがいる。阿波市出身。心洗われるような美しい調べを奏でる。チェロを始めたのは、中学に入ってから。こちらも決して早いスタートとはいえない。

2人に共通するのは、歩む道に迷いがないことだ。その時々で、悩みがなかったわけではない。しかし、夢をあきらめようと思ったことはなかった。

「本当になりたい自分になる」のは、文字で書くほどたやすくはなかろう。きっと人一倍努力されたんでしょうね、と聞くと困ったような顔をした。「好きでたまらないことに打ち込む。それを努力と呼んでいいものでしょうか」。

（２０１３・11・15）

炭鉱のカナリア

歯止めを失った物体は次第に加速し、坂も中ほどまでくれば、手が付けられなくなる。だが、どんな物体でも動き始めは緩慢だ。特定秘密保護法も同じである。成立したところで、日常生活にすぐ大きな変化が表れるわけではない。

しかし、政府に不都合な情報や国民に必要な情報まで隠すことが可能になるのである。魔法のつえを握った権力が、いつまで禁欲的な態度をとり続けられるだろう。

法を先取りする形で2002年、「防衛秘密」の指定制度が導入された。防衛省によると、07年からの5年間で約5万5千件を防衛秘密に指定。うち3万4千件は既に廃棄処分となっている。

何が指定されたか、指定は妥当だったか、もはや検証は不可能である。秘密法が成立すれば、外交など他の分野でも、同様の事態が起こりかねない。

新聞は心配性だ、という向きもあろう。が、かつて新聞が政府に迎合し、情報をうのみにして国民をあおった時、何が起きたか。法案は、特定秘密の範囲すら不明確なまま、衆院を通過したのだ。心配性ぐらいでちょうどいい。

その昔、炭鉱作業員は有毒ガスを検知するために、カナリアを携えて坑道に入ったという。米国の作家カート・ボネガットは「炭鉱のカナリア」こそが作家の役割だ、と説いた。ひそみに倣って、小欄もさえずり続けよう。このまま特定秘密保護法を成立させるわけにはいかない。

（2013・11・27）

千日

個性的な記述で知られる新明解国語辞典を引いた。「千日」とは「千度重ねた日数」とある。そらそうだ、とうなずくほかない、こんな語義解説にたまに出くわす。もとよりひねりを効かす語ではあるまいが、この辞書にして、と少々拍子抜けした。

しかし「千度」なのである。読み返せば、積み重なった日々の、その重みがずしりと来る。何げない表記が、尋常でない時間の流れを示す。東日本大震災の発生から、きょうで千日。「復興最優先」と言われながら、できることさえ先延ばしにされてきた千日ではなかったか。今も約28万人が全国で避難生活を送る。復興の歩みは、なお遅々としている。

とりわけ、原発事故に見舞われた福島は深刻だ。約14万人が古里を追われたまま。戻れるめどが付かない人も多い。止まった時計が再び時を刻み始めるのはいつか。

当初から無理のあった「全員帰還」「東京電力主体の事故対応」の原則は事実上破綻し、ようやく政府が前面に立つ。やることなすこと順調な安倍晋三首相も、この問題に関しては存在感が希薄である。放射性廃棄物の最終処分場建設を含め、難題は山積しているのに。暗闇に明かりをともしてもらわねばならない。

南海トラフ地震が迫っている。東北は人ごとではない。国難といえる大災害を速やかに乗り越えられずして何が政治か。歯がゆい思いはあと何日続くのだろう。

（2013・12・4）

なぜ、助けを…

2人を心配して野菜などを届ける近所の人もいたという。なぜ、助けを求めなかったのか。彼女は言う。「幸せに生活している人に迷惑を掛けてしまうと思った」。これほど切ない言葉に出合った記憶はあまりない。

母親の遺体を自宅に放置したとして、罪に問われた。生まれつき足が不自由で、歩くのにも苦労する。徳島地裁で開かれた公判には、車いすで臨んだ。難聴で、耳はほとんど聞こえない。「独りぼっちになった。後を追って死ぬしかない」。母親の死に際して、決意したという。

取材記者によると、2人は誰の世話にもならずに生きていきたかったようだ。あえて選んだ孤立の道。こうなることは時間の問題だったといえるのかもしれない。

母親から「死ぬときは一緒に」と言われていたことから、埋葬しても仕方がないと考え放置したと検察側。「身勝手で、死者に対する冒涜（ぼうとく）」とも。冷静に対処できる状況だったろうか、と同情もするが、有罪となれば、罪は罪として償わなければならない。

「もう少し歩けるようになったら、お墓へ行き母にごめんなさいと言いたい。今は精いっぱい生きることが償いです」。か細い声で彼女は謝罪の言葉を述べた。裁判所の書記官が涙を拭った。

事情はあるだろう。でも問わずにはいられない。母親の死から事件発覚まで2カ月余り。行政は何をやっていたのか、と。やりきれない。

（2013・12・11）

少女からの手紙

サンタクロースっているのですか？　１８９７年というから、１００年以上も前、８歳の少女バージニアから米国にあった新聞社ニューヨーク・サンに手紙が届いた。返答を命じられたフランシス・チャーチ記者は、初めはぶつぶつ言いながらも、机に向かう。

そしてこんな社説が紙面を飾った。「サンタクロースなんていないんだという、あなたのお友だちは、まちがっています。この世の中に、愛や、人へのおもいやりや、まごころがあるのとおなじように、サンタクロースもたしかにいるのです」（「サンタクロースっているんでしょうか？」偕成社）

そう言っても去年、うちには来なかったじゃないかという子もいるだろう。それには小欄が答えよう。心配いらない。うちにもめったに来なかった。祖父と暮らしていた友達のうちにも。

しかし大人になって子どもができると、どちらのうちにも毎年来るようになった。人生は、いつか帳尻が合う。足し算すると悪いことより、いいことの方が少しだけ多いようだ。

目には見えないが、確かに存在する愛や思いやり。サンタを一つの比喩と考えれば、宗教的な信念がなくても、サンの社説は心を打つ。子らの成長を願う気持ちがある限り。

だから小欄も、子どもたちに言おう。「きっと、大人になれば分かるはず」。サンタはいるのか、との疑問が今どきの子にもあると期待して。

（２０１３・12・14）

10年後も徳島で

正月返上で机に向かっている受験生も多かろう。大学入試センター試験まで、あと2週間。いざもう一踏ん張り。やれることは、まだまだある。

そんな君たちに激励の言葉を贈ろう。「忍耐は苦しい。けれどもその実は甘い」。教育論も著したルソーの言葉。間違いはあるまい。

さて私たち大人は、である。県内の高校2年生を対象にした本紙のアンケートでは、「10年後も徳島で暮らしている」と予想する人が半数近くを占めた。民間の全国調査でも「地元に残りたい」と考えて志望大学を選んだ人が約半数。ここ数年で10ポイントも増えたという。

彼らが暮らしたくなる、暮らしていける街をつくってきたか。答えはイエスであってノーである。先進的なまちづくりで全国に知られる自治体は、県内にいくつもある。しかし人口減少にブレーキがかからないのも事実だ。

「仕事がないからね」と言うが多くの人がそれで全てが説明できるわけではないことに、とうに気づいていよう。仕事が全てならば、働き口の少ない沖縄の人口がなぜ増える?

「田舎でくすぶっていてはあかん」と叱咤激励するのは大事だ。だが、いろんな選択肢があることも伝えたい。何より、子どもへ教えられるほどに私たちが豊かな人生を送ること。その舞台を自らつくること。そこに地方再生の一つの鍵がないだろうか。

（2014・1・4）

三角でいい

二重丸の方が、いいに決まっている。それでも三角で十分だと言う。ふとしたきっかけでつまずき、どん底を見たことがある。そんな人たちの講演を聞いた。

26歳の女性は4年ほど前、うつ病を発症した。自分の存在に意味はあるのか。頭に浮かぶのは死ぬことばかり。前へ向きたい。でも行く場所がない。父の眠る墓地で一人泣いた。

ある女性は、中学のころにいじめられた体験を言葉にした。涙で途切れ途切れになりながら。真っ暗で何も見えなかった。皆に支えられ、やっとここまで来た。いつかするぞ、幸せな結婚。

郊外に住んでいるという別の女性。短大卒業の日、口げんかの最中に祖母が倒れ、そのまま帰らぬ人に。幻聴や幻覚に悩まされるようになったのは、それから。バスに揺られて45分、この店に通って半年になる。

ここは徳島市籠屋町の喫茶店「あっぷる」。障害を抱えた人たちが仲間を得て、共に働き、傷を癒やし、再び歩き始める場所だ。運営する社会福祉法人ハートランドの理事長もなかなか面白い人だが、その話はまたいつか。

「人生は三角でいい」。そう語る女性は65歳。50歳を過ぎてパーキンソン病になった。なぜ、そう思う？　迷いなく「バツより、ましですから」。暗闇にともる灯は小さくても明るい。懸命に生きていたら、少しだけ振り返る余裕ができた。

（2014・1・22）

2014年度

この年度の出来事

- 消費税 5%から 8%に引き上げ（4月）
- 集団的自衛権の行使容認を閣議決定（7月）
- 広島北部の集中豪雨で大規模土砂災害（8月）
- 台風の影響で県内で 2 度の豪雨、那賀町鷲敷地区などが大規模な浸水被害（8月）
- 青色 LED の製品化に成功した徳島大出身の中村修二さんにノーベル物理学賞（10月）
- 県西部の三好、東みよし、つるぎの 3 市町で大雪被害（12月）

家族による介護

7年前、愛知県内のＪＲ駅構内で91歳の男性が列車にはねられて亡くなる事故があった。男性は徘徊（はいかい）の症状がある重い認知症だった。同じ部屋にいた当時85歳の妻が、うとうとした数分の間に抜け出したらしい。

名古屋地裁は「家族が適切な介護をせず、電車の遅延で損害を与えた」として、ＪＲ側の賠償請求を全額認定した。そしてきのう、名古屋高裁は一審に続いて妻の責任を認め、約３６０万円の支払いを命じた。

男性は要介護４の認定を受けており、常に目を離すことができない状態だった。妻には見守りを怠った過失があるという。起きた結果からすれば仕方ないといえるのか。妻も要介護者だった。「24時間一瞬の隙もなく認知症の高齢者に付き添うのは不可能」。控訴審での家族の主張に共感する人は多かろう。県内でも認知症患者は増える一方である。

男性の家族は、自宅にアラームを付けるなど、徘徊を防ぐための対応もしていた。それでも事故は起きた。高齢者を施錠した部屋に閉じ込めておくわけにはいくまい。同様の事故は今後も発生する恐れがある。

認知症になっても、慣れた自宅で過ごさせてあげたい。そんな家族の思いが生かせる社会でありたい。事故発生時の責任の在り方も含めて、介護中の家族を支えるには何が必要なのか。施設ばかりが答えではなかろう。

（２０１４・４・25）

元患者の遺言

ハンセン病違憲国賠訴訟の判決前だったから2001年の春ごろか。国立療養所大島青松園の面会宿泊所で、同宿した島根県の保健福祉部局の職員と語り合ったことがある。

口惜しそうに漏らした言葉が、今も印象に残っている。「映画『砂の器』に出てくる亀嵩（かめだけ）は島根にある。戦前、ハンセン病の父と主人公の息子を引き裂き、隔離収容したのは私たちだと言ってもいい。だのになぜ、これまで本格的な支援ができなかったのか」

忘れていたのはマスコミも同罪である。社会がようやく目を開いたのは、裁判で元患者自身が声を上げてから。

奪われた人間の尊厳を取り戻す――。運動を担っていた全国ハンセン病療養所入所者協議会会長の神美知宏（こうみちひろ）さんが亡くなった。「ハンセン病政策の過ちをきちんと総括しなければ、今後も形を変えて起こる」。理知的に語っていたのを思い出す。奥さんの古里・徳島とも縁浅からぬ人である。

国賠訴訟の全国協議会会長だった詩人の谺（こだま）雄二さんも逝った。少し前には、同じく詩人の塔和子さん、裁判闘争を率いた曽我野一美さんも。元患者の平均年齢は83歳。人生の最終章に入っている。

「忘れちゃならんのは、何もハンセン病問題に限らないってことさ。今も苦しんでいる人はたくさんいるじゃないか」。黄泉の客となった元患者の遺言が耳を離れない。

（2014・5・12）

冷たい視線

奈良県桜井市、山田康文君の詩を紹介しようと書き起こし、途端に手が止まった。困ったことに、うるっと来てしまう。もとより一部分の引用では足りない。やはり全文を読んでほしい。

山田君は重度の脳性まひだった。15歳の時、不慮の事故で帰らぬ旅に出て、もう40年近くがたつ。詩は長い時間をかけて養護学校の教諭と紡いだものだ。経緯を収めた本がある。「お母さん、ぼくが生まれてごめんなさい」（扶桑社文庫）

山田君が生きた時代の空気を覚えている。詩中の「つめたい視線」も鮮明に。筆者の父親にも障害があった。小学生のころ、一緒に外出すれば遠く離れて歩いた。父を恥じることはなかったと、思い出せば心が痛む。

街中で車いすを見掛けるのが珍しくなくなった今、もはや考えにくいことかもしれない。しかしそれが当たり前になったのは、冷笑を浴び、邪魔者扱いされながらも、一歩ずつ新たな地平を切り開いてきた先駆者がいたおかげなのである。筆者のように逃げてばかりでは何も変わらなかっただろう。

あのころに比べて随分良くなった。だが、当人や家族の苦労が消えたわけではない。精神障害者や認知症患者のように今でも取り残されている人がいる。「ぼくが生まれてごめんなさい」。こんな詩を書かずに済む社会になったか？　答えはまだ、否である。

（2014・5・24）

豪雨の夜の涙

那賀奥が甚大な豪雨災害に見舞われた2004年の8月末。取材の帰途、やっぱりこんなこともあるんだと、しばらく立ち尽くした。台風16号の強風で倒れた杉の大木が、夜の国道をふさいでいた。

帰れず逃げ込んだ旧木沢村役場で、警戒中の職員らと、非常食を夜食に話し込んだ。共通の話題は「災害」だ。感極まったのか突然、若手職員の一人が声を張り上げて泣いた。

「いくら頼んでも、お年寄りが避難してくれないんだ。危険なのは分かっている。だけど土地のことは、お前よりもよく知っているぞって。そんな人、縄をつけて引っ張ってくるわけにもいかないだろ」

その1カ月ほど前には、台風10号の大雨で土砂災害が起き、2人が自宅ごと流された。もう村内で犠牲者を出したくない。なら、どうすればいいんだ、との心の底からの叫びだった。

7月としては過去最強クラスの台風8号が、日本をうかがっている。5千人以上の死者・行方不明者を出した伊勢湾台風（1959年）とも比べられる勢力だという。進路によっては県内にも大きな影響が出る可能性がある。自治体は空振りを恐れず、早めに避難を呼び掛けてほしい。

人生経験が通じない自然の猛威がある。今までの大丈夫が、これからの安全を保障してくれはしない。命あっての物種だ。公の指示には素直に従いたい。

（2014・7・8）

空と海

主人公があまりにも愚かな最期を遂げた岩場から、カメラはゆっくり振れ、南仏の海を映す。はるかに望む水平線。ささやくようにランボーの一節。〈見つけた／永遠を／それは海／そして太陽〉

永遠って…。ヌーベルバーグの旗手として世に出たゴダール監督の作品「気狂いピエロ」（1965年）の終幕に、柄にもなくしばし考えてしまう。海にはそんな力がある。

南仏ほど、しゃれてはいない。だが、物語の深みは数段上だろう。高知県室戸市の御厨人窟（みくろど）から見える景色は。太平洋へなだれ落ちそうな山際を、突端の岬へと続く一本の道。ほぼ南へ走りつめた先にある海食洞である。

足を踏み入れ、振り返れば、洞窟の闇を丸くはぎ取るように輝く空と海、「日本の音風景100選」の波の音。さかのぼること1200年余り。若き日の弘法大師が、ここで過ごした。隣接する神明窟で修行中、悟りを開き、目に入るものを、その名とした。空と海、すなわち空海。生きとし生けるもの全てが、悟りの世界にたどり着けるまで、永遠にわが願いも尽きないと。

「梁塵秘抄（りょうじんひしょう）」の今様歌に〈四国の辺路（へじ）をぞ常に踏む〉とある。空海の入定後、平安時代末には、四国は既に行場として知られていた。空海の思想のゆりかご、信仰と物語が息づいている青い国。それが、われらの誇るべき故郷だ。

（2014・7・22）

過疎県の選択肢

観光パンフレットの1ページ目にあった。「最果ての下北をゆく」。最果て…これより先はない端。青森県下北半島は、本州最北ではあっても日本の北端ではない。だが、「北の果て」という言葉がよく似合う。

突端にあるマグロの町・大間まで、青森市から150キロ余り。車で3時間はかかる。紺青の海、半島を貫く緑。ただ幾分、荒涼としている。冬は雪に閉ざされるという。かつて出稼ぎの男たちを送り出した風景だ。

下北には、原発や核燃料サイクル施設が点在する。自衛隊基地もある。建設中の大間原発は、使用済み核燃料から取り出したプルトニウムとウランの混合酸化物（ＭＯＸ）燃料を、全炉心で使用できる世界初の施設で、安全を疑問視する声も根強い。津軽海峡を挟んで最短23キロ、北海道函館市は建設中止を求めて裁判中だ。

金沢満春大間町長に問うてみた。「もし一般企業が誘致できるとしても、原発を推進しますか」。一体、そんな可能性があっただろうか、と反問された。「国のエネルギー政策を担うことは、今や町民の誇り」。強がりには聞こえなかった。

病院も学校も、フェリーで1時間半の函館に行く。その航路も原発関連の交付金で維持している。この地で人が働き、生き抜くため、他に選択肢はあるか。当方も過疎県に住む。金沢町長の言葉が身につまされた。

（2014・8・22）

治療法のない病

志半ばで亡くなった元県幹部・佐野雄二さんから伺ったことがある。「最もなりたくない病気は何か、と医者に問えば、おそらくこう答える人が多いのではないでしょうか。それは筋萎縮性側索硬化症（ＡＬＳ）だ、と」

神経難病に造詣が深い医師でもあった。現在は日本ＡＬＳ協会の会長を務める長尾義明さんと共に、協会徳島県支部の設立に奔走した。

ＡＬＳは全身の筋肉が動かなくなる進行性の難病で、根本的な治療法はない。佐野さんは、よく蚊の例えで患者の置かれた状況を説明した。「羽音が聞こえる。腕にとまったのも分かる。刺したのも、かゆみも感じる。しかし、払いのけることも、かくことも、声を出すこともできないんです」

米国発の患者支援活動「アイス・バケツ・チャレンジ」が、フェイスブックなどを通じて世界に広がっている。友人らを指名し氷水をかぶるか、支援団体に寄付するか、その両方かを迫る。参加者には大リーグの田中将大投手や京都大の山中伸弥教授、くまモンも。

協会は関わっておらず、降って湧いたような流行に困惑気味だ。「ただ、事務局の家賃も苦しい状態でありがたい話。人気取りに使う人もいると聞くが、ぜひ息の長い支援を」と長尾さん。まずは日本協会のサイトで病気の現状を確認しておきたい。できれば、氷水を浴びる前に。

（2014・8・24）

読書感想文

ご多分に漏れず、この時期、頭を悩ませたものだ。夏休みの宿題、読書感想文にである。何をどう書いていいか、さっぱり浮かんでこない。原稿用紙の升目が永遠の彼方(かなた)へと続く線路のようで、途方に暮れた。

仕事であればこそ何とかしようと思う。でなければ…。幾つになっても文章を書くのはつらい。悩める児童生徒の皆さんに助け舟を出すはずが、あれあれ、愚痴ばかり。

ここは名高い文筆家にヒントをもらおう。例えば向田邦子さんは〈簡潔／省略／余韻〉が肝心という。手紙の秘訣(ひけつ)として示されたものではあるが、文章一般にも当てはまるだろう。

でも、筆者は知っている。これぞ三要素といわれたところで、「はあ？」というほかないことを。「何を書く」が解決していないからである。向田さんは続ける。〈この三つに、今、その人でなければ書けない具体的な情景か言葉が、一つは欲しい〉。自分なりが大事。こちらは何とか手掛かりになりそうだ。

読書は他人にものを考えてもらうこと。自分にしか書けない要素を感想文に盛り込むには、課題図書をめくるだけでは不十分。必要なのは〝冒険〟である。

別の本を読む、街へ出る、自然に親しむ。一見遠回りの行為こそ、升目を埋めるのに役に立つ、かも。ただ、夏休みもあとわずか。うまくいかなくても、恨むな少年少女たち。

（2014・8・25）

吉田昌郎さんの言葉

詩人北原白秋は残している。〈大正十二年九月ついたち国ことごと震亨れりと後世警め〉。関東大震災で壊滅した神奈川県の小田原に白秋の自宅はあった。甚だしい被害を前にして、地震は天罰とする考えに至ったという。

そんな諦めまじりの神懸かった感情とは正反対の場所に、この人はいた。東京電力福島第1原発事故の最前線で指揮を執った元所長の故吉田昌郎さんである。当時の状況を語った「聴取結果書（吉田調書）」の全容が判明した。

A4判で約400ページ。政府事故調査・検証委員会が29時間余りかけて行ったとみられる聞き取り調査の記録だ。〝原子力屋〟としての反省、首相官邸や東電本店への不満、怒りをも率直に口にしている。「現場は逃げたのか。逃げていないだろう。これははっきり言いたいんです」

背筋も凍るくだりがある。「われわれのイメージは東日本壊滅。本当に死んだと思った」。事故発生4日目、2号機の原子炉水位が低下した2011年3月14日夜である。

白秋は会う人ごとにこんな会話が交わされていたと記す。「命だけは助かりました」「命だけは」。最悪の事態を乗り切った福島第1の人たちの思いも同じだったろう。

後世の警めとするため、あの日のことを正確に伝え、生き残るすべを考えねばならない。フクシマを知る私たちの務めである。

（2014・9・2）

戦没者

どこか、気持ちがしっくりいかない。千鳥ケ淵戦没者墓苑（東京都千代田区）が、これほどこぢんまりしていたとは予想外だった。平日でもにぎわう靖国神社から足を向けたので、なおさらそう思ったのかもしれない。

広くもない苑内を半時間ほど歩き、他に参拝者は1人。ひっそりとしている。薄暗い休憩所をのぞくと、消してあった照明を係の人がつけてくれた。

苑の一角にはシベリア抑留者追悼慰霊碑がある。こちらも、どちらかといえば控え目。大きければいいわけでもなかろうが、体験者の苦しみに比べて…という気がしないでもない。

旧ソ連の指導者スターリンが極秘指令を出したのは1945年8月23日。軍人軍属、民間人計57万5千人が抑留され、重労働と飢え、寒さで5万5千人が異国の土となった。

徳島県人は395人。「少なくとも」の数字である。犠牲者のうち1万7千人は氏名や出身地が分かっておらず、厚生労働省の担当者7人が膨大な資料と格闘中だ。地味だが大切な仕事は世に無数。

苑内には天皇陛下の歌碑が立つ。〈戦なき世を歩みきて思ひ出づかの難き日を生きし人々〉。この歌から10年。政府は、戦後70年となる来年に向けて、死亡者の調査や遺骨返還事業に力を入れる方針を閣議決定している。いまだ無名のままの墓碑に、生きた証しを刻む作業である。

（2014・9・22）

中村修二さん

そうありたくても、実際にできる人がどれだけいることか。しかし、逆に言うと、その勇気を持ち合わせた人でなければ、決して大事はなし得ない。

ノーベル賞を受けた中村修二・米カリフォルニア大サンタバーバラ校教授は、かつて講演などでこんなふうに語ったことがある。嫌いなことを我慢するな。嫌なら辞めろ。相当やけくそにならないとできないが、非常識なことにトライした方がいい。突き進め、と。

この力強さがあったからこそ「20世紀中は無理」とまで言われていた青色LEDの製品化に成功したのではないか。省電力で長寿命の照明、大容量のブルーレイディスク、逆光でも見やすい信号機と、既に身近にあふれ、さらに生活を大きく変えていく21世紀の光である。受賞は時間の問題だった。

人生には何度か決定的な岐路がある。中村さんと徳島の出合い、それあっての大輪ともいえようか。ゆりかごとなった徳島大、大学院修了後に入社した日亜化学工業。道はノーベル賞へと続いていた。われらの郷土、捨てたもんじゃない。

心の隅に閉じ込めていた夢を、もう一度引っ張り出して眺めてみれば、違うあしたが見えるかもしれない。たとえ大事はなし得なくても、私たちも少しだけ勇気を出してみたい。何しろ、同じ空気を吸っていた人が、ノーベル賞を受賞したのである。

（2014・10・8）

20年

どうです、と聞くと「あっと言う間の20年だった」。そんな、至極普通のコメントで満足する人でしたっけ、村上哲史さん。来年は、もう50歳になる。

徳島市の文化の森総合公園で開かれている徳島障害者芸術祭エナジー（12日まで）の会場で、久しぶりに会った。これまでに2回、大賞をものにしている。招待作の油絵「麻痺(まひ)の手が動く気がする阿波踊りⅡ(ツー)」の作者である。

よく笑う。持ち味は強烈さ。心象風景を得意とする。ベテランの域に達し、さすがに丸みを帯びてきているものの、かつてはこんな表題の作品がごろごろあった。〈凶悪な事件が多発熱帯魚〉

エナジーが始まった1995年ごろはまだ、車いすで街へ出るのに、それなりの決意が必要だった。肩で風を切って通りを行った。社会を変えてきたのは、邪魔者扱いにめげない、とんがった障害者。草創期から芸術祭を支える村上さんも、その一人である。

手芸アートの篠原高広さんとともに今回、大賞に選ばれた森厚子さんの油絵「たびだち」は、前を見据えて、すっくと立つ女性を描く。肩肘を張らずに、それでいて怖(お)めず臆せず。

ヤツらと頑張ってきた20年。変化は少しずつ、少しずつ。それでも後ろに下がることはなかった20年。俳句も愛する村上さん、自作を思い出して一句。〈えっとぶりヤツとぞめきの熱帯夜〉。

（2014・10・9）

緑色のジャケット

称賛の言葉などいらない。できれば、つつがなく一生を送りたい。半世紀も生きていると、とりわけこんなニュースに触れたときは、平凡な日々のありがたさを思う。

御嶽山で遭難した会社員近江屋洋さんはまだ26歳。胸中は知るすべもないが、確かなのは生きていたかったに違いないことである。彼が救おうとした小学5年、長山照利さんと同様に。

負傷していた。だからできたのは、リュックサックから出した自分の緑色のジャケットを、けがをして寒がっていた長山さんに着せるよう、近くの女性に頼む。言ってしまえば、ただそれだけだ。

だが、あの過酷な現場で他人を気遣う。誰にでもそれができただろうか。長山さんの父は言う。「人を助けることはなかなかやらない世間だと思うが、山の上で助け合った。救いになる」。せめてもの優しさに包まれ、医者になるのが夢だった少女は11年の生涯を閉じた。

災害は平凡な人生をひそかに狙っている。火山に限らない「その場」に、誰もがいつか遭遇する恐れがあろう。自分ならどうするか、粛然とした気持ちで考えてみる。

〈生に二どと通らぬみちなのだからつつしんで／自分は行かうと思ふと〉（山村暮鳥「自分はいまこそ言はう」）。今がどんな社会だろうと、「それだけのこと」が迷わずにできる人間であらねば。彼に倣って。

（2014・10・23）

赤瀬川原平さん

先の大戦時、国策標語なるものがあった。「欲しがりません勝つまでは」といった類いの戦争遂行スローガンである。こうした標語は、枢軸国、連合国を問わないようだ。しかし、これほど簡にして要を得、しかも力強い標語が他国にあっただろうか。いわく「ぜいたくは敵だ！」。こんな耐乏生活でも、しゃれっ気を忘れていない人がいた。こう皮肉るのである。「ぜいたくは素敵（すてき）だ！」。わずか1字で大違い。笑いの生命力は思いの外、しぶとい。町場のひそひそ話が聞こえてきそうだ。

赤瀬川原平さんも、もう少し早く生まれていたら、きっと後世に〝秀作〟を残していたのではないか。多芸で知られた前衛芸術家で芥川賞作家である。

ベストセラーになった「老人力」（ちくま文庫）では、それまで悲観的な気分とともに語られていた加齢に伴う物忘れやため息、繰り言を、前向きに捉えてみせた。決してもうろくしたわけではない、老人力という新たな能力が身についてきたのだ、と。

視点をずらし、別の意味を与え、見る者聞く者を脱力させる。優柔不断、臆病、弱虫を広言してのしたたかさ。日常の変哲もない光景の中に、ユニークな事物を見いだす「路上観察学会」を結成するなど、面白さを追求した表現者だった。

むき出しの憎悪がぶつかり合う今、去りゆくその才能が惜しい。

（2014・10・28）

88歳の写真家

終戦まで、あと半月。米軍機に急襲され、右手と左目を失った。けがで希望をなくす若者がいる。高知海軍航空隊、20歳にもならぬ写真班員の場合は逆だった。後に徳島を代表する写真家になる吉成正一さんである。

父の起こした写真館を、戦後になって継いだ。仕事には、当然に支障があった。傷痍軍人に何ができるか、と悪評が流された。逆境をバネに踏ん張った。

頭角を現すまで時間はかからなかった。数々のコンクールで賞をとり、1950年には、来県した昭和天皇の撮影も。「何もなければ、しょうもないぼんぼんで終わってましたよ。けがは想定外だったけど、何事も想定通りなど面白くない」

阿波の輝く人たちを生涯かけて追う。人の心を写すのが写真。これが持論だ。被写体から心根が染みだしてくるまで、じっくり話をしながら待つという。平板ではなかったこれまでの経験が生きる。

階段を上がっているうち、つい思い上がってしまうことがある。何段か下りて再び踏み出す。「1年たったら、1年分反省です」。徳島県文化賞を受ける。でも、まだ先へと続く階段が、吉成さんには見えているらしい。

88歳の今も、じっとしてはいられない。新たな発見を求め毎日、自転車をこぐ。「人生二遍ない」。明日は何に出合うのだろう。悔いなき一生を地で行く阿波男である。

（2014・10・29）

妖怪伝説

青木藤太郎さん、といっても知らない人の方が多いだろう。易学にたけた知恵者で、平安時代には弘法大師の道案内、下って讃岐で庄屋の経営指導、近代に入れば従軍も、と超多忙。無論、人ではない。三好市山城町寺野の生まれの狸らしい。

終戦直後は罪をかぶって人助け。たばこや焼酎の密売で摘発された人が「藤太郎さんから仕入れたんだ」。実直で知られた校長は、悪い遊びが露見して「藤太郎さんが…」。これで、丸く収まったというのだから。

山城には妖怪伝説が多い。ほかにも子泣きじじいや一つ目入道。「山の大切さを説く。危険箇所を示す。厳しい土地で生きていくための知恵が詰まった生活必需品だった」。市内であった「怪フォーラム」で講師を務めた下岡昭一さんから伺った。

妖怪伝説は、戦争と高度成長期の2度、廃れかけたという。桁外れの暴力や拝金主義とは対極にある。今、もう一つの敵、過疎化と向き合う。

都会の子どもを元気づけ、その姿に地元の人々が誇りを取り戻す。必要とする人がいる限り、妖怪は生きる。口から口へ重ねられてきた物語は、一極集中に抗する武器でもある。

ほら、そこを行く藤太郎さんに、あなたは気づきましたか。『妖怪大百科』（水木しげる著、小学館）にはこうある。〈金もうけで忙しい人には見えないものらしいですナ〉。

（2014・11・25）

仕事

陽気な人だ。こんなふうに書けば顔をくしゃくしゃにして照れるだろう。ことさら持ち上げるようではあるが、その仕事ぶりを見て思い出したのは事実である。国宝「鳥獣人物戯画」の迷いのない筆運びを。

ためらいがない。それこそ「さっ」と装飾布を裁断する。表装の技術で「徳島県障がい者マイスター」に認定された大林幸司さんは言う。「迷いがあれば狂ってしまう」と。戯画の作者や巻物に仕立てた表具師とも相通ずる心持ちなのだろう。

この道20年余り。裁断に使うカッターナイフでけがをしたり、預かった作品に傷をつけてしまったりと、数々の失敗あっての現在。細かな点までこだわる性格も合っていた。

全国4千の就労支援施設で働く障害者は21万人に上る。教えるのも教わるのも難しく、表具を手掛ける施設は他にないそうだ。指導員の時代から共に勉強してきた三橋一巳・社会就労センターかもな園長は、地元の表具師の後押しに感謝する。

書画に加え、四国霊場開創1200年で納経掛け軸の依頼が増えている。「もう1回がきかんでしょ。今でも怖いよ」と大林さん。緊張感が味にもなる仕事だ。

徳島労働局によると、ハローワークを通じて就職した県内の障害者は昨年度、過去最多の474人。それでも求職者の3割にすぎない。人を生かし切れていない社会である。

（2014・11・29）

大雪

膝上まで降り積もった雪を、かき分け、かき分け進んでいると、道路脇の林で「ぱしっ」と音がする。その先の森でも「ぱし」「ぱしっ」と。

雪の重みに耐えかねて倒れる際、スギは鋭い叫び声を上げる。「取材中、ずっとです」。つるぎ町八千代地区に入った記者から聞いた。倒木の量は相当数に上る。

孤立したのは、県西山間部によく見られる、山肌を天に向かって切り開いたような集落だ。一人暮らしのお年寄りも多い。車1台が通るのがやっと、網の目のように家々へと延びる道路が、深い雪と折り重なった倒木で寸断されているという。

停電で、明かりもテレビもつかず、携帯電話の充電もできない。自宅に閉じ込められたまま、暗闇の夜を幾晩も過ごした住人がいる。一人布団にくるまって、寒さに震えた人も。

江戸後期、越後の文人鈴木牧之（ぼくし）が、雪国の風俗をまとめた「北越雪譜（ほくえつせっぷ）」に記している。吹雪まで風流の種にするのは、雪の本当の恐ろしさを知らない地方の人だからだと。確かにそうだったと認識を新たにする雪害である。白魔は日常生活を大混乱に陥れ、高越山では2人の命を奪った。

地球に異変が起きているのか、近年、自然は想定外のカードを頻繁に切る。国や自治体の対応力に加え、助け合う地域の力が試されている。一刻も早い孤立解消へ向け、作業を急ぎたい。

（2014・12・8）

孫の一言

「自殺しようとしても、自力では何もできん。病室の、すぐそこの窓から飛び降りることも」。絶望とはこんな心持ちかと思い知らされた。日本ＡＬＳ協会長の長尾義明さんはそう語った。

親分肌の職人で鉄工所を経営していた。筋萎縮性側索硬化症（ＡＬＳ）の発病当初、何をするにも誰かの手を借りなければならなくなる自分が、ふがいなくて悔しくて。やがて、人工呼吸器がなければ息もできなくなった。生きる気力を失った。

転機となったのは、当時まだ2歳だった孫の「運動会に来てよ」の一言だ。身動き一つできない自分を必要としてくれる。孫だけではない。気がつかなかっただけで、妻や家族、知人もそうだった。

人はつながりの中で生きている。命は自分だけのものではないと痛感した。生きるに値しない命などない。生きていてよかったと思えるまで、10年かかった。

脳腫瘍で余命宣告された米国女性の選択を受け、本紙「読者の手紙」欄で「尊厳死」をめぐる議論が交わされている。患者の意思を尊重して過剰な延命治療を施さないのが、日本でいう尊厳死だ。誰しも最期は穏やかにと望んでいるだろう。

ただ、何が過剰な延命治療かとなれば、個人の倫理観や死生観も絡んでくる。命とは何か、との問いに正対しなければならない問題である。人の数だけ意見はあろう。

（２０１４・12・13）

大みそかの客

30歳を前に居酒屋を始め、20年ほどになる。「あの人が初めてうちに来たのは、いつだったか」。友の長い話が始まるのは、決まって日が変わってからだ。

カウンターのほかに数席のこぢんまりとした店のころ。その男性は毎年、大みそかに一人で現れ、静かに夜を過ごした。詳しい身の上を聞いたわけではない。「誰かの墓参りの帰りだと、そんな話もしていたなあ」

10年余り前、構えも大きな今の店に移った。年に1度の来店はそれからも数年続き、ある年を境にぷつりと絶えた。何があったか、知るすべはなかった。

この時季になれば、男性のことが脳裏をよぎるという。どんな思いで、あの隅の席に腰掛けていたのだろうかと。「元気でいるだろうか。それに今年は来てくれるかなって」

商売だ。もうかればうれしい。それよりも、最近は思う。「誰かに席を準備できること。店をやっていて本当に良かったと実感するのは、こんなささやかな瞬間なんだ」。人生の機微というやつが、しっかりと味わえる年齢になった。

あすは大みそか。のれんをくぐる七十格好の男性を見かけたら、想像してみてほしい。「いらっしゃい、久しぶり」と、声を張り上げる大将の笑顔を。幸せな人も、そうではなかった人も、そこここに小さな物語の花を咲かせながら、年は暮れてゆくようである。

（2014・12・30）

ホロコースト

人生は美しい—。映画「ライフ・イズ・ビューティフル」は、ナチス・ドイツの強制収容所にとらわれたユダヤ系イタリア人家族の物語を通して、それを証明してみせる。

希望の灯を消すまいと、父は幼い息子に命を懸けてうそをつく。「これはゲームだ」と。監督で主役も務めたロベルト・ベニーニさんは、もともと喜劇人。機関銃のように繰り出す言葉には、ユーモアがあふれ、悲しみが満ちている。

程なく、息子が聞きつけてくる。「ぼくたちはボタンやせっけんにされる。かまどで焼かれるって」。そんなばかなことがあるはずないじゃないか、と父は懸命に否定するが、現実は…。

ユダヤ人大量虐殺（ホロコースト）の象徴であるアウシュビッツ強制収容所が解放されて70年になる。犠牲者はこの収容所だけで少なくとも110万人に上る。約90万人は、到着直後にガス室などで殺されたという。物語の入り口にすら、ほとんどがたどり着けなかった。解放時の生存者はわずか7千人ほど。

こんなことが、なぜ人間に、と思う。いや人間だからこそか、と思い返す。「実際に起こったことは再び起こりうる、どこでも起こりうる」。イタリア人生還者の懸念通り、虐殺はやむことがない。

世界には、今も命の「ゲーム」を続けている親子がいるのだろう。助けを信じて待っている親子が。

（2015・1・30）

牟岐町で震度5強

鴨長明といえば「方丈記」。〈ゆく河の流れは絶えずして、しかも、もとの水にあらず〉。平安から鎌倉へ、時代の変わり目に生きた歌人が世の無常を記したこの随筆。歴史史料としても一級品だ。

都をのみ込む大火、竜巻、飢饉（ききん）、疫病と簡にして要を得た筆運び。当代随一のジャーナリストは、元暦2（1185）年の大地震も書き残している。山は崩れ、海は陸を浸し、土は裂けて水が噴き出した。大地が動き、家が壊れる音は、まるで雷のよう。

羽がないので空は飛べない。竜ではないので雲の上に逃れることもできない。長明は自らの体験から、最も恐れるべきは地震だ、と言い切る。

さては南海トラフか、と肝を冷やした人も多かっただろう。きのう牟岐町で震度5強を観測した地震である。けが人がいなかったのは何よりだった。まだ震度5弱程度の余震の恐れがある。気を抜いてはいけない。

同時に早速、南海に備えて検証したい。子どもやお年寄り、人を守る方策にほころびはなかったか。少しでも懸念があれば拭っておきたい。

月日がたち、恐ろしさを忘れた人々への嘆きで、長明は地震の項を締めくくる。徳島県民にその心配はあるまいが、迎え撃たねばならないのは〈そのさま世の常ならぬ〉大地震である。鳥でも竜でもない人間は知恵を絞るほか、生き延びる方策はない。

（2015・2・7）

県戦没者記念館の第2土曜

白木の箱は、あまりに軽かった。ビルマ（現ミャンマー）方面で戦病死した、と公報にあった。22歳の妻と2歳の長男を残して。あの日、覚えているのはそのくらい。

7歳上の前夫が出征したのは1944（昭和19）年6月。結婚してまだ4カ月。それから、どのぐらい生きられたか。わが子の顔を見ることもなく異国の土となった。「苦しいことばかりだったでしょう」。現在90歳、吉野川市山川町、高垣ヨシ子さんの講演は続く。

戦後、縁あって一緒になった再婚相手もビルマからの復員兵だった。「人が死んでいく時の叫び声が、耳から離れない」。つらかったことも全て話してくれた。しっかりと受け止めた。だから知っている。戦争を。銃後のことも戦地のことも。県戦没者記念館が毎月第2土曜に開いている語り部事業で聞いた。

「きょうの皆さんには、分かってもらえるかな」と、会場を見渡して高垣さん。若者には、まるで話が通じないことがあるそうだ。昔と今、戦争と平和。生活環境のあまりの落差を埋めるのは、容易ではない。

戦場で命を落とした県出身者は、およそ2万8千人。聴講者の一人が言った。「74歳の、私も遺児なんです」。遺族の高齢化も著しい。

記念館によると、過去5回の聴講者の年齢層は高めだ。若者こそ、今、聞いておかなければならない話がある。

（2015・2・17）

格闘

事に当たって、人は二種類に分かれる。とことん闘う人と、これも運命と受け入れる人と。高松市の国立療養所・大島青松園で生きた、この人の場合は後者である。

戦後すぐに入所した。家族も故郷も、関係全てを断ち切って。正確に言えば、断ち切らされて。でないと差別や偏見、不幸の渦がどこまで広がるか。ハンセン病は、そんな病気だった。

顔に後遺症が出た。視力も失った。それでも、事有るたびに口にした。「感謝です」。気取りのない短歌に、人柄がよく表れている。〈つらきことあまたあれどものりこえて生かされて来し今日の幸せ〉(東條康江、82歳)。晩年、古里とのつながりもよみがえった。

「慈しみ深き…」で始まる賛美歌の312番は、背負った重荷を下ろせるはずだ、と続く。意識をなくす前、夫が歌いかけた。「聞こえたか」。入所者の典型ともいえる一生は、こんな言葉で閉じた。「聞こえた」

最初は数人だった。国の隔離収容政策と立ち向かう人がいなければ、歴史は変わらなかった。東條さんだって闘った。屋島の先、療養所のある小島で、与えられたもう一つの人生をどう生きるか。この問いと格闘しなかった入所者はいない。

きのう、もう一人の訃報を聞いた。ハンセン病回復者の平均年齢は80代半ば。大島青松園の徳島県出身者は、20人を切った。

(2015・2・23)

問い

「君たちはどう生きるか」。戦前戦後と活躍したジャーナリスト吉野源三郎が発した、この真っすぐな問い掛けに、どれだけの人がしっかりと答えられるだろう。

同名の著書の初出は、作家山本有三らが編んだ「日本少国民文庫」の1冊というから、本来は子ども向けなのだが、出版からおよそ80年がたつ今もなお、大人が読んでも示唆に富む。

子どもはいつも自分中心、天動説の信奉者である。大きくなるにつれ、人と人との関係の中で生きていることに気付き、地動説のような考えに変わってくる。こういった、ものの見方に始まり、いい人間とは何か、論考が続いていく。

「どう生きるか」―。人類誕生以来の根源的で普遍的な問いだ。再読し思う。広く、深く、この問いとじっくり向き合う営みが今、自分にも、慌ただしい社会にも欠けているようである。

こうした営為とは対極にある過激派組織を思い浮かべてみるといい。殺人を、人権侵害を、古代文明の遺物の破壊を正義だと言う。積み上げられてきた人類の英知をご破算にしたいらしい。なのに「イスラム国」への若者の流入は止まらない。狭く浅く、短絡的な思考が世界を蚕食している。

きょう、徳島県内の多くの高校で卒業式がある。門出の日、ぜひ答えを探し始めてほしい。もっと広く、深く。「どう生きる」、その答えを。

（2015・3・1）

2015年度

この年度の出来事

- 那賀町、阿南市で２年連続浸水被害（７月）
- 参院選徳島・高知合区が成立（７月）
- 安全保障関連法成立で集団的自衛権行使可能に（９月）
- 徳島市の市道で視覚障害者と盲導犬、事故死（10月）
- 環太平洋連携協定（TPP）大筋合意（10月）
- 徳島県が誘致を提案している消費者庁が神山町を拠点に試験業務（３月）

学校のありがたさ

学校は、いつごろ始まったのだろう。「ものの始まり50話」（岩波ジュニア新書）によると、古代メソポタミアやエジプト地域には、既に読み書きを教える学校があった。

古代社会では文字を扱える人が少なく、それを専門とする「書記」が重要な役割を果たしていた。優秀な書記を育てるのが学校の使命で、地位や身分の高い家の子弟を対象にしたエリート養成機関だった。

読み書きといっても、庶民が通った江戸時代の寺子屋などからは程遠い。教育が大衆化され、義務教育が始まったのは、かなり時代が新しく1852年、米マサチューセッツ州が最初とされる。

メソポタミアといえば現在のイラク周辺。最古の学校があった地域で今、過激派組織「イスラム国」が威を振るう。人類は数千年にわたって何を学んできたか。大いなる皮肉に、嘆息も漏れる。

「（ノーベル平和賞は）教育を求める、忘れ去られた子どもたちの、平和を求める、おびえた子どもたちの、変革を求める、声なき子どもたちのためのものです」。マララさんの言葉を引くまでもなく、いまだ教育の光が届かない子どもが、世界には多い。

徳島県内の多くの小中学校で、きょう入学式がある。この機会に、長い歴史の中で、広い世界の中で、当たり前のように学校に通えるありがたさを親子で話し合ってみるのもいい。

（2015・4・9）

17歳の特攻

「出撃前夜、枕を並べて寝た。幼い寝顔に涙が止まらなかった」。上官から届いた便りには、そう書いてあった。

井花敏男少尉（戦死後4階級特進）は旧宍喰町出身。70年前のきょう、爆弾を積んだ旧式の97式戦闘機で、鹿児島県の知覧基地を後にした。17歳と2カ月。陸軍沖縄戦特攻隊の戦没者1036人の中で最も若い。

海陽町の実家を継いだ末弟の昭文さんに、当時の写真を見せてもらった。あまりにあどけない。「死んでも守ってあげる」と言い残し、引き留める母を振り切って家を出たという。

「それでも親が恋しい、きょうだいが恋しいという手紙も来た。まだ、そんな年頃。楽しみもなく、死ぬためだけに生まれてきたようなもの」と昭文さん。町から8キロ奥に入った生家の前には田、後ろに山林が広がる。戦争がなければ別の人生があっただろう。

特攻隊の戦没者名簿を繰れば、ほぼ10～20代。最後を伝えた上官も20代前半だ。1カ月後、同じ隊員として命を落とした。若い人から死んでいかねばならない時代だった。

〈大君の仇なす敵を打砕く大和若鷲今ぞ征で立つ〉。懸命に背伸びする少年の笑顔が浮かぶような、井花さんの辞世である。飛び立てばすぐ、薩摩富士と呼ばれる開聞岳の秀麗な姿、その向こうにどこまでも続く海が見えたはず。操縦席で一人、何を思っただろう。

（2015・4・16）

あの少女は

小学校でいえば、せいぜい2、3年生といったところだ。やせた、粗末な身なりの女の子が、背中に、恐らくは彼女のきょうだいを背負って広場の隅に立っていた。「ギブ・ミー・1ルピー」。半分は演技なのだろうが、悲しげな瞳で言う。

傍らを同じ年格好の女の子が通り過ぎた。学校帰りか、緑の真新しい制服を着ていた。ちらっとも見なかった。先の子がまるで存在しないかのように。ネパールの首都カトマンズで、こんな経験をした。２００8年の王政廃止以前の話である。

カースト制が長く社会を支配してきた。生まれながら、の世界だ。インドと同じく、公には廃止されているものの、宗教が絡んでおり、これもインドと同じく、そのくびきから逃れるには、まだ時間がかかるに違いない。

大地震の映像を見ながら思った。もう成人したはずの、あの女の子はどうしているだろう。天災は平等に人を襲う。しかし、影響は貧しい人ほど深刻というのが常。

死者は既に数千人を数える。震源に近い山間部では、壊滅的な村が多いとの情報も。被害はさらに拡大する恐れがある。まずは救助に、次は暮らしの再建に。日本が果たすべき役割は大きい。

中部ブジュン村での小水力発電所の建設支援など、本県とも縁が深い国である。友人の大事だ。われらも、できる限りのことをしなければ。

（２０１５・４・28）

「白菊」を笑う上官

〈敵は八五―九〇節(ノット)の日本機駆逐艦を追ふと電話す。幕僚の中には駆逐艦が日本機を追ひかけたりと笑ふものあり〉。宇垣纏(まとめ)海軍中将の戦中日記「戦藻録(せんそうろく)」(原書房)にみえる。日付は1945年5月25日。沖縄戦、菊水7号作戦に特攻機が集中投入された日だ。中将と幕僚は、戦況確認のため司令部に詰め、米軍の無電を傍受していた。

登場する「日本機」は、旧海軍徳島航空基地(松茂町)などに所属していた練習機「白菊」。大戦末の機材不足で特攻機に転用された。八五―九〇(ノット)というから、時速は160(キロ)そこそこ。軍用機としては極めて遅い。

操縦する若者は、それでも懸命に敵駆逐艦を追った。爆弾を抱いて体当たりするために。その最中である。上官が、白菊の鈍足をあげつらい、こんな冗談で笑ったのは。「駆逐艦を追う?　白菊の方が追い掛けられているんじゃないか」。笑うって…。

揚げ句の果てに、〈之(これ)に大いなる期待はかけ難し〉。戦場へ、そんな練習機で向かわせたのは誰か。この人たちにとって若者の命は、丸めて捨てる紙くずほどの値打ちしかなかったのだろう。白菊による特攻は、沖縄戦終結まで続けられた。

宇垣中将は8月15日の玉音放送の後、つまり戦争にけりがついた後、爆撃隊に出撃を命じて、部下を道連れに自殺する。ぶつけたい言葉が無数にある。

(2015・5・17)

福祉施策のはざまで

彼にも、きょうだいにも知的障害があった。ひどいいじめを受けていた。小学校へ相談に来た母親の、その地味なブラウスと長いスカート。運動場を歩く悲しげな姿は、小学生の改心を促すのに十分だった。

それから15年余り。本紙社会面に掲載された短い記事で、すっかり忘れていた彼の消息を知った。記事は、親族の8坪（約26平方メートル）に満たない空き家に放火した疑いで、26歳の男が逮捕されたと実名で伝えていた。

さらに15年。彼が死んでいるのが見つかったと知人が教えてくれた。小屋と見まがうばかりの家で独り、病気で衰弱死したのではないかという。それまでの41年間、どうやって生き、最期は何を思いながら目を閉じたのだろう。

そんな記憶がよみがえった。同居する兄の死を知りながら放置したとして、死体遺棄罪に問われた65歳の男に、徳島地裁がおととい、有罪判決を言い渡した。男にも軽度の知的障害があった。だからといって、許される罪ではない。それは分かる。

ただ最近、似た話をよく耳にする。故人の年金を狙った悪質なケースも後を絶たないが、障害が絡むことも少なくはないようだ。

軽度であるがゆえに、さまざまな支援の網から漏れることがある。福祉施策のはざまに落ち込んだ末に…。「切れ目のない対応」はこんなところにこそ必要なのではないか。

（2015・5・27）

大鳴門橋30年

〈振りむくと、おゆうが眼を開いていた。源作を見つめたまま、黙って微笑した〉。藤沢周平さんは「橋ものがたり」（新潮文庫）で市井の人々の心の機微、男女の情を細やかに描く。出会いがあり、別れがある。物語のきっかけとなるのは橋。

この橋も、おゆうのまなざしのように温かく、行き交う人々と流れる時代を見詰めてきたのだろう。大鳴門橋が開通して明日で30年になる。

沖縄県石垣島や台湾で製糖を手掛け、砂糖代議士とも呼ばれた上板町出身の衆院議員中川虎之助が、国会に「鳴門架橋と潮流発電に関する建議」を提出したのが1914年。まともに相手にされず、わずか30分の審議で否決された。計画に光が当たるのは戦後になって。昨年度の平均通行台数は1日約2万3千台。本県の動脈は船から道路へ移り、県民の暮らしは大きく変わった。

橋さえ架かればよし。虎之助の夢はその程度ではなかったはず。橋の向こうに豊かな郷土を見据えていたに違いない。夢、いまだ実現の途上である。

この30年、価値観は激流の中にあった。バブルの後遺症に苦しみ、豊かさはモノだけでは測れないことを学んだ。深刻な少子高齢化にも直面している。では、どんな未来を選ぶか。

一世代を30年とすれば、明日は次の世代の始まりの日。これから30年、大鳴門橋は何を目にするだろう。

（2015・6・7）

流した汗は裏切らない

誰の言葉か、「流した汗は裏切らない」とはいうけれど、勝負は時の運といったところもある。悲喜こもごも、熱戦が続く県高校総体も今日まで。

今年、第55回の参加者は約9千人。選手の減少が深刻なのだという。部員がそろわず、ホッケー男子、少林寺拳法の男女団体が中止になった。出場が1校しかない競技も、カヌー、ボート、フェンシング、アーチェリー、なぎなたの五つ。

柔道はこの20年で20校減って、6校となった。日本のお家芸危うし、である。少子化の影響は、既にこんなところにまで及んでいる。

参加者は減少したというものの、もとより、栄冠を手にできる競技者は一握りだ。歓声が去った夕暮れの、汗の染みこんだグラウンドを眺めては思う。肩を落とした敗者の姿を。

敗北が無二の親友だった小欄の言で、説得力には少々欠けるが、選手の皆さんに教えてあげよう。「裏切らない」との格言は間違っていない。たとえ、昨日今日の結果に結びつかなかったとしても、明日から進む長い道のり、これまでの経験が生きてこないはずがない。

だから、さあ、旗を掲げよう。負けても、勝てばより高々と。〈だれが主人か、／世界よ、／おぼえておけ　とばかりに、〉マヤコフスキー「摩天閣解剖図」。そのぐらい自信を持って歩んでいきたまえ。汗を流した者の特権である。

（2015・6・8）

戦没船

言われてみれば当然だ。しかし言われるまで、うかつにも考慮の外。そんな話が結構ある。先の大戦で亡くなったのは？　軍人に、空襲の被災者に…、浮かんだろうか商船や漁船の船員のこと。

ＪＲ元町駅から徒歩10分、神戸港のシンボル・ポートタワーにほど近い神戸市中央区海岸通りに、こぢんまりとした施設がある。「戦没した船と海員の資料館」という。階段を上がれば、戦没船の在りし日の写真がずらりと並んでいる。

館によると、一般汽船３５７５隻、国内航路などで使われた機帆船２０７０隻、漁船１５９５隻の少なくとも７２４０隻、船員約６万人が終戦までに没した。徳島県出身者は１３１６人。

軍艦と違って攻撃には弱い。戦時中の船員の死亡率は軍人をはるかに上回り、43％に達するとされる。被害は戦後も続き、残った機雷に触れて約１５０隻、３千人の命が失われた。

口減らしで海員学校へ進んだ農家の次男三男も少なくはなかったそうだ。半年ほど学び、船員徴用令に従い船に乗る。犠牲者の31％は20歳未満で一番下は14歳。甲板よりもまだ泥田の方が得意だったろう。

本県の旧国名にちなんだ1万㌧余りの商船「阿波丸」は１９４５年4月1日、台湾海峡で米潜水艦の雷撃を受け、2分で沈没した。乗船者は２２７８人。うち生存者は１人。戦没船の一例である。

（２０１５・６・14）

五感を生かす

生まれながらに目の不自由なマシオが4年生のとき、こんな詩を書いた。梅雨を過ぎ、きつい夏日が運動場をじりじりじりと焼く、そんな季節の夕刻。〈雨が　ふってきた／土くさい／土くさい／どしゃぶりだ〉

絵本「雨のにおい　星の声」(小峰書店)から引いた。著者は児童文学者の赤座憲久さん。視覚障害児の学校で教壇に立っていたころの体験を児童の作品とともに記している。ここ数日の雨で思い出した。

だからというのでもないが休日、目を閉じて雨の音に耳を澄ませてみた。屋根を打つ。庭木を洗う。道路へ、向こうの田へ落ちる。平板だった雨音に奥行きが生まれる。においに音に、雨にもいろんな成分がある。

徳島視覚支援学校にお邪魔したとき、高等部2年の林和輝君が五感のすごさを話してくれた。目が悪くなり1年と少し。でも今は毎日が楽しい。これまでサボりがちだった感覚をしっかり生かせば、できることがどんどん増えていく。

だから思う。点字ブロックに車を止める無神経。とはいえ、あまりに気を使われるのもどうだろう。冷たすぎない、優しすぎない。障害者がその一員として当たり前に生きられる、程よい社会があるんじゃないか。

障害初心者。どれだけ可能性があるか、今はまだ分からない。ゆえに夢も希望もこれから。未来多き17歳が、ここにもいる。

(2015・6・20)

無差別爆撃

戦争を仕掛けた側として、かつては口をつぐまざるを得ない事情もあったろうが、もうこの辺できちんと断罪しておくべきだ。都市そのものを標的にした無差別爆撃を。

70年前のきょう、県都は灰になった。徳島大空襲である。あの年、国内主要都市のほとんどに焼夷（しょうい）弾の雨が降った。子どもを含む大勢の民間人が死んだ。犠牲者は全国で50万人以上といわれる。

爆弾を落とす人がいて、炎に包まれた人がいた。主語ははっきりとしている。なのに空襲を、避けられない自然災害のように語ってしまうことがある。いまさら恨んでも仕方ないし、その必要もないが、行為自体を許してはいけない。

都市爆撃。非戦闘員の無差別大量殺害。戦時国際法違反、人道上の罪は明白だ。普通はこういう事態を虐殺とか、殺りくとか言う。

悲劇を語り継ぐとともに、東京大殺りく、徳島大殺りく、と血の滴るような感覚で、空襲を社会の記憶にとどめておくべきだろう。欧州でもハンブルクやドレスデンなど、果てはヒロシマ・ナガサキへ、核兵器あふれる現在の世界へと道は続いているのである。

いわゆる戦略爆撃の系譜の中には遂行者として、かつての日本、ドイツの名もある。日本では「要地爆撃」と呼ばれた重慶であり、ピカソが描いたゲルニカであり。こちらも覚えておかないと、フェアではない。

（2015・7・4）

涙の海

「なみだは人間の作るいちばん小さな海です」。作家の寺山修司さんはかつてこう書いた。では、これまでに人が流した涙を集めれば、どれほどの海になるだろう。

大きさは見当がつかなくても、成分は何となく分かる。少なくとも、歴史をさかのぼればさかのぼるほど、悲しみの涙の量は、歓喜の涙をはるかに上回るのではないか。

例えば大航海時代。アフリカに至った航海者がこぼした汗と涙、アフリカから連行された奴隷の涙。どちらが多かったかは明らかだ。

１４９２年、クリストファー・コロンブスの到達を機に、この島も飽くなき収奪と虐殺にさらされ、血と涙に覆われた。先住民たちの未来を奪った欧州人のキューバでの残虐行為は、スペイン人宣教師のラス・カサスが生々しい筆で記録している。

植民地の時代が長く続いた後、独立。独裁政権と革命。核戦争勃発の危機。日本では「海の日」の今日は、キューバの歴史に残る日となる。１９６１年の断交から54年ぶりに米国との国交を回復し、互いに大使館を開く。

冷戦の遺物でもある両国の反目は転機を迎えたが、経済制裁や人権問題など積み残された難題は多い。しょっぱい涙の海を、国民の笑顔と喜びの涙で満たすこと。現代の政治家が期待されている役割を見失わなければ、いずれ乗り越えられる課題といえるのだろう。

（２０１５・７・20）

義母の「長い、長い旅」

口数の少ない人だった。遠出を嫌った。「なぜですか」と聞いたら、こんな答えが返ってきた。「一度、長い、長い旅をしたから、もうたくさん」。義母は満州からの引き揚げ者だ。

１９４５年8月9日、ソ連がソ満国境を侵した。15日、終戦の詔勅。農地も何も全てを捨て、一家の逃避行が始まった。12歳、まだ小学生だった。

避難民の列は、果てがない。中国の農民が道端で大声を上げていた。「子どもをくれ、子どもをくれってね」。ひょっとすると、苦難の道、小さな命だけでも助けてやろうといった気持ちからかもしれない。ひょっとすると、働き手がほしかっただけかもしれない。

銃を突きつけられたこともある。きつく握った手を、もし離していたならば…。厚生労働省が認定する中国残留孤児約２８００人のうち幾人かは、同じ列の中にいたはずだ。

故郷の広島に戻るまで、どれほど歩いたことか。そもそも、一家が大陸へ渡ったのは山深い貧しい村で食い詰めたから。戦後も釜のふたの開かない日々が続いた。中学卒業を待ちかねて紡績会社に就職し、やがて結婚した。

国策農業移民・満蒙開拓団の団員総数は約30万人に上る。再び日本の土を踏めなかった人が大勢いる。70年前のあの時、義母の目に何が映ったか。二度と帰らぬ旅を見送る前に、もっと聞いておくべきだった。

（２０１５・７・26）

誰が戦争に行きたいものか

米海軍の特殊部隊か、と思ったら全く違うのである。「ＳＥＡＬＤｓ（シールズ）」は安全保障関連法案に抗議する若者グループ。国会前のデモなどで、最近たびたびその名を耳にする。Ｓは学生、英語のスチューデントの頭文字。以下、Ｅは緊急、Ａは行動、Ｌは自由、Ｄは民主主義。小じゃれたホームページには、自由と民主主義のための学生緊急行動とあった。

この団体の主張にかみついたのが、自民党の武藤貴也衆院議員だ。「『戦争に行きたくない』という極端な利己的考え」と、ツイッターでつぶやいた。その通りであるならこの日本、「極端な利己的考え」の人が多数派だろう。誰が戦争なんぞ行きたいものか。

こうした批判を聞くたび浮かぶのが、特攻隊員に志願という名の出撃命令を強要した軍幹部だ。自分は安全圏にいて、戦後も生き延びた人々である。議員ならば、きっと率先して散るのだろうが。

武藤さん。こうした批判の常として、戦後教育のせいで利己的な若者ができたとおっしゃいますが、そんな乱暴なまとめ方をするのなら、戦前の教育は学制発布からおよそ70年で国を破滅させたのではありませんか。命をめぐる言説を軽々に扱うあなたの方こそ、平和ぼけしていませんか。

息子がいます。「極端な利己的考え」で申し訳ありませんが、戦争には行かせません。

（２０１５・８・５）

「杞憂」

「杞憂（きゆう）」と書けば、「取り越し苦労でしょ」と、すぐさま返ってくるに違いない。でも知ってますか、元になった故事には、続きがあるのを。

心配でならない人と、それを諭した人と。杞の国の2人のやりとりを聞いた楚（そ）の賢者が笑ったそうだ。天は空気の層だから落ちてこないって？　空気は雨や風、雲や霧へと、常に姿を変えるではないか。〈空気や土の変貌ぶりをよく知っている者ならば、天地は崩れないなどと、言えたもんじゃなかろうて〉（「ひねくれ古典『列子』を読む」新潮選書）

天地は崩れない、崩れる、どちらの言い分にも一理ある。列子は結論づけた。結局分かりもしないことで、悩んでもしょうがない。

偉大な思想家には失礼だが、この項には誤りがある。茨城県の鬼怒川の、津波のような映像に確信した。分かりもしない、ではない。心配して当然な確率で、天のふたは外れ、地が割れる現代である。

堤防の決壊を予期した人がどれだけいたか。あの場にいれば、筆者もきっと逃げ遅れていた。電柱にしがみついて助かった男性は、ただただ運が良かった。

有数の大河を抱えた徳島には、南海トラフ巨大地震の懸念もある。行方の分からない人たちの無事を祈りながら思う。意識を改めないと。警戒の水準をもっと高く、わが町の防災マップを再度、確認しておきたい。

（2015・9・12）

絶望に寄り添う

自殺と心の病は関係が深いとされる。しかし、病を得た人が全て自殺するわけではない。錠を開くのは何か。「それは絶望です」と、徳島県自殺予防協会の近藤治郎名誉理事長は言う。「だから関わっていける可能性がある」

「いのちの電話」で重荷を負った人の悩みを聞き始めたのが1979年。社会がまだ自殺に無関心なころだ。3年の間は、夫婦2人で昼夜をおかず受話器を握った。

自宅に訪ねてくる相談者も少なくはなかった。茶を一口含むやいなや、残りを窓の外にまき散らした人がいた。「こんなおいしい茶を飲んでいる人に何が分かるか」。高級茶だったわけではない。

人間関係や経済問題、体の不調と苦悩は人それぞれ、人の数だけある。人一倍の苦労を教科書に人生を送ってきたから、追い込まれた人の訴えが身に染みた。

「生きたいのにうまく生きられない。『死にたい』は困難な状況や山盛りある思いを、最も短く表現した言葉です」。誰からも見放されたと感じた時に、人は絶望する。大事なのは親身になって寄り添うこと。「よき隣人」となること。36年の経験である。

何も、できなかったかもしれない。でも何か、できたかもしれない。拳を固く握り締めたまま若くして時間を止めてしまった知人のことを思い出しながら、稿を閉じる。16日まで自殺予防週間。

（2015・9・13）

山橋さんの死の教訓

目が不自由だったことが、どれほど事故と関係しているのか。不自由でなければ、バックしてくる車をかわせたか。分からないうちから、こんな声が出かねない。「だから、危ないと思っていた」

盲導犬の啓発に尽力していた徳島市のマッサージ師山橋衛二さんが近くの病院に出勤途中、トラックにはねられて亡くなった。8年間、山橋さんを補助し、あと1週間で引退する予定だった10歳の盲導犬ヴァルデスも死んだ。

盲導犬を連れた視覚障害者の死亡事故は、県内で初めてという。だから、危ないではない。どうすれば歩行者の安全が守れるか。読み取るべきはそんな教訓だ。

身をもって障害者の社会参加の大切さを知る人である。19歳のときに、同乗していた車の事故で失明した。支援学校に通ってマッサージ師となり、盲導犬と歩くようになって約30年になる。

2004年の本紙記事にある。「山橋さんは一人でも多くの人に補助犬の存在を知ってもらおうと、盲導犬を連れていろいろな所へと出向く」

盲導犬のほかに聴導犬と介助犬。障害者の手助けをする補助犬の同伴を交通機関や宿泊施設、病院や飲食店は拒んではならない。補助犬法成立10年を記念して、国会内であった会合に招かれ「今もたまに入店を断られる」と嘆いたのは3年前。まだ50歳。やり残したことも多かろう。

（2015・10・4）

5歳児が味わった孤独

真っ暗な部屋に閉じ込められて、極度の空腹の中、マッチの炎ほどの小さな命は燃え尽きた。斎藤理玖（りく）ちゃん、死亡当時5歳。声が出せれば叫びたかったろう。「誰か助けて」と。判決を聞いて再び胸がつまった。

神奈川県厚木市で昨年、死後7年以上たった男児の遺体が見つかった事件である。殺人と詐欺の罪に問われた父親に、横浜地裁は懲役19年の判決を言い渡した。

弁護側は保護責任者遺棄致死罪を主張していた。だが、そんなまどろっこしい罪名で済ませていいものか。理玖ちゃんがひどく衰弱し、医師に診てもらわなければ死亡する可能性があったのを知りつつ、放っておいたのである。

「唯一すがる存在だった父親から食事を与えられず、ごみに埋もれた不快な環境に放置され、死亡した経緯は涙を禁じ得ない。残酷さは想像を絶する」と裁判長は述べた。殺人罪の適用は妥当だろう。

行政の対応が問題視された事件でもある。異変のサインは何度かあったのに、教育委員会や児童相談所は見逃した。「周囲が全く無関心だったことが、事件の最大の要因だ」。裁判員を務めた40代女性は指摘する。その通りだと思う。

存在を誰も知らない。死んでからも7年以上、暗闇の中で独りぼっち。これを孤独という。5歳児が味わっていいはずのない感情である。事件を忘れてはいけない。（2015・10・24）

太宰の文学

こんな言葉を紹介すると、さてはマルクスかと早とちりする人が増えてきたから、先に出典を明示しておく。太宰治の「斜陽」。あまりに有名で、魅惑的な一文である。〈人間は恋と革命のために生れて来たのだ〉

戦争が終わり、没落貴族には落ちぶれた生活が待っていた。その娘かず子は、〈ほんものの貴婦人の最後のひとり〉だった「お母さま」の死を機に新しい人生へと踏み出す。その後の「革命」は読んでのお楽しみ。

太宰の文学ははやり病のようで、学生のころ周りに重症患者が何人もいた。まるで共感しなかったのに久々に引っ張り出してみると、かず子の声を想像しながら、思わず反すうしてしまった。〈人間は恋と革命のために生れて来たのだ〉〈戦闘、開始〉

青森県五所川原市金木町、生家を利用した記念館は「斜陽館」という。老舗旅館のように地に根を張って、どっしりと立つ。広々とした津軽の田園風景と恵まれた暮らし。それがあの太宰を育てたのだから分からないもの。

「読書週間」である。合わせる必要もないが、この際、読んでおくに越したことはない。人生の火にまきをくべるような1冊を選んで。

いや応なく変革に迫られている時代。それなら周りに流されず、自分から変わりたい。さあ今日も、それぞれの持ち場で戦闘、開始。本も一助となるはずだ。

（2015・10・28）

過酷な病

ＪＲの忘れ物には「骨つぼ」まであると以前、話題になったことがあった。「ピンときたね。遺族も扱いに困ったんだろう」。知り合いの元患者は言った。死んでも故郷に帰れない、それは過酷な病だった。

特効薬ができた戦後も、なお続いた隔離収容政策が、言われなき差別を温存し、ハンセン病の元患者と家族を苦しめたことは疑いがない。２００１年、元患者が起こした裁判に敗れた国は、誤りを認めて謝罪した。それでも、故郷への道は遠かった。

「病人を出した家と分かり、家族が差別されたら」。心配する声は絶えなかった。また、ある元患者は「死んだことになっているから」。

国が断ち切った絆を、結ぶ努力をしたのは人である。県ハンセン病支援協会の十川勝幸会長(75)も、その一人だ。誰しも認める無類の熱心さ。18年前、県幹部として訪れた療養所で聞いた、諦めにも似た一言に、今も突き動かされているのだという。「やがて私たちは消えてゆきます。このままそっとしておいてもらって結構です」

脚本を担当する阿波市の劇団「千の舞い座」の人権劇も、きのうの石井中学の公演で１００回目。舞台の上で役者は叫んだ。「こんな悲しいこと、もう絶対にあってはならない」。飾らない言葉が胸を打った。

徳島県関係者は全国５療養所に24人。平均年齢は80代半ばだ。

（２０１５・11・８）

悲しみ宿した芸

徳島空港に降りると来訪者はまずえびす人形を持った2人の阿波女の大きな写真を目にすることになる。阿波木偶箱まわし保存会の中内正子さんと南公代さんである。彼女らが守る「三番叟まわし」は今年、県の無形民俗文化財に指定された。

正月、家々を回って無病息災や家内安全を祈る古くからの門付け芸も、やがては消える運命にあった。部落差別と深く結びついた文化だったからだ。戦後、社会が豊かになり始めたころ、人形の遣い手は芸の伝承を拒み、子は親の形見の道具を捨てた。

三番叟まわしは悲しみを宿した芸である。〈木偶を、孫に見せたらあかん。「うちの家にエビスさんあるんじょ」と孫が学校で一言でも言うたもんなら、孫の将来の縁談にどんな差し障りがあるかわからんから、絶対あかん〉（「阿波のでこまわし」辻本一英）

聞き取り調査でその価値を再発見した中内さんらが、渋る「最後」の現役に、半ば強引に弟子入りしたのは1990年代も終わりのこと。

一昨日、徳島市で保存会結成20年の記念公演を見た。年々、芸に磨きがかかるが、道に終わりはあるまい。先人の苦悩や確かに存在した豊かな文化を伝えるためにも。

中内さんは舞台で語った。「平和や人権が大切にされる社会にしたい」。海外公演を重ねる人気芸人になっても、決して初心を忘れない。

（2015・11・25）

自省の日

無謀な戦争というけれど、それも後付け。国民の多くはみじんも思っていなかったに違いない。空気なるものの怖さである。1941年のきょう、太平洋戦争は始まった。

本紙の前身・徳島毎日新聞も、さっさと交渉を打ち切れ、と激越な調子で筆を振るい開戦を促している。国民総生産比で10倍以上。アメリカの国力は、日本をはるかに上回っていると知りながら。

南部仏印進駐で、8月には石油の輸入を止められた。備蓄は2年で尽きる。生産力の差は大きく、軍艦や戦闘機の保有数もすぐに圧倒されよう。それに欧州を見るがいい。盟友のドイツの進撃を。やるなら今だ。

不利な数字も有利に読み替える、歴史は良くも悪くも楽観主義者が変えるのだろう。空気の中で知性は弱い。一流の知識人とて例外ではない。開戦を祝すこんな文章がいくらでも残っていると、歴史家半藤一利さんが「そして、メディアは日本を戦争に導いた」(東洋経済新報社)に書いている。

〈勝利は、日本民族にとって実に長いあひだの夢であったと思ふ。即(すなわ)ち嘗(かつ)てペルリによって武力的に開国を迫られた我が国の、これこそ最初にして最大の苛烈(かれつ)極まる返答であり復讐(ふくしゅう)だったのである〉(亀井勝一郎)

時代の空気に敏感であれ。ただ、のみ込まれはしない。戦争をあおった末裔(まつえい)の、きょうは自省の日でもある。

(2015・12・8)

優しくなれる日

問題―。預言者ムハンマドの誕生日は？　申し訳ないが知らない。そもそもイスラム暦なので、答えはそう簡単にいかないようだ。それなら釈迦（しゃか）は？　確か花祭りの日、4月8日か。恐る恐るの回答である。

けれどもキリストなら、小欄ばかりか世界の多くの人がご存じのはず。この違い。この数百年、世界が西洋を中心に回ってきた証しの一つといえるかもしれない。あす12月25日はクリスマス。言わずもがな、か。

毎年のことながら、見事に宗教色を失った日本の降誕祭に思う。「きよしこの夜」を歌って1週間もすると、初詣に出掛けるのである。こんなふうでいいのかね。が、これも日本。これでよしとしなければ、子どもたちに恨まれる。

せっかくだからまつわる話を一つ。聖書は記す。「救い主が生まれたよ」。神様が最初に告げたのは、野宿をしていた羊飼いだった。

当時といっても本当の誕生日は定かではない。ざっと2千年前のパレスチナ、羊飼いは貧しく、さげすまれていたそうだ。神様が選んだのは、そんな社会の最底辺にいた人々だった。信者でなくとも胸の辺りがじわりと温かくなる話である。

せっかくのクリスマス。あと少しだけ優しくなれる一日だろう。ケーキやプレゼントもいいけれど、自分以上の困難を抱えた人のことを思う時間が、少しばかりあってもいい。

（2015・12・24）

成人の日

人類は小さな球体の上で眠り、起き、働いて、ときどき寂しがったりする生き物だ。谷川俊太郎さんが初めての詩集「二十億光年の孤独」を出版したのは20歳のとき。〈万有引力とは／ひき合う孤独の力である／宇宙はひずんでいる／それ故みんなはもとめ合う〉。表題詩は、既にその2年前には出来上がっていた。

ランボーは19歳で散文詩集「地獄の季節」を著している。この後、文学を放棄、アフリカで武器商人となるおまけ付き。音楽家の初期の傑作も、調べてみれば意外なほどの若さに驚く。何ものかを創造する力、その最初のピークは、多分この年頃あたりから始まるのだろう。

「凡人の俺には関係ないね」ともいかないのである。きょう成人の日。君たち一人一人が唯一無二の作者、そして演者でもある作品の構想を、急いで練り上げなければ。さてこの人生、これからどうやって生きていく――。

「二十代で苦労した者だけが、三十代で夢の世界を見ることができる」と言ったのは、確か音楽家矢沢永吉さんだったか。あれ、どこかで聞いたぞ、といった俗な言葉も、よくよく噛みしめれば、必ず真理の味がする。

〈宇宙はどんどん膨んでゆく／それ故みんなは不安である／二十億光年の孤独に／僕は思わずくしゃみをした〉。膨らむ世界に君たちなら、どんな地図を描いてみせるか。


（2016・1・11）

運転手さんの観光案内

このところの冷え込みに、ひとつ温泉でも、と祖谷へ車を走らせた。ほころび始めたウメに湯煙、露天風呂。こいつはいい。

はるばる訪れた人もまた、ふーっと大きな息でもはきながら、伸びやかな気持ちになっただろうか。ホテル入り口の「歓迎─様」の表示にはローマ字で書かれた中国系の名が並んでいた。

昨年、日本を訪れた外国人旅行者は推計1973万7400人、消費額は3兆4771億円に達し、いずれも過去最高となった。最多は中国の499万人。韓国400万人、台湾367万人と続く。「爆買い」の中国人旅行者は1人当たり28万円使った計算になるという。

増加の背景には、円安による訪日旅行の割安感、外国人向けの消費税免税制度の拡充、アジア諸国からのビザ発給要件の緩和がある。中国の景気減速が今後の懸念材料になるとも。

かずら橋に近い食堂でアジア系の観光客と隣り合わせた。「祖谷そばは当地のソウルフードです」。案内のタクシー運転手が切れ切れの英語で懸命に説明していた。

訪日客の大都市への偏りや受け入れ態勢など観光立国へ課題は幾つもある。ただ、詰まるところは、あの運転手さんのように、熱心になれるかどうかではないか。国に帰って客は話すに違いない。「日本の運転手さんがね」と。話の数だけ、ひいきも増えることだろう。

（2016・1・24）

人生の終盤

河川敷のヘドロに、わだちのような2本の線が、弓なりに川まで続いている。雑誌で見た、かなり前の報道写真である。

添えられた記事は言う。病身の母を抱えた娘が心中を決意。年老いた母が先に命を絶った。死に装束は、紺がすりの半羽織にもんぺ姿。2本の線は不自由な足ではいずりながら流れへ向かった跡、彼女の生きた最後の証しだった。川まで連れてきた家族が、浮き沈みする母を見送った。

切なく、悲しい出来事は、もうたくさん。さまざまな形態の高齢者施設は、そんな願いも込めて造られたはず。人生の終盤を心安らかに過ごせる場所、少なくとも安心、安全が絶対条件だ。

そうした場所で、やりきれない事件が起きた。川崎市の介護付き有料老人ホームの転落死事件で、逮捕された元介護職員が入所者3人の殺害を認めたという。

暴行事件も相次いだ施設である。施設の体質が誘発した犯罪といえるかもしれない。元介護職員らが、入所者をどう扱っていたかは明白だろう。金を生む人形とでも思っていたか。でないと抵抗のできない人間を投げ落としたりはできまい。

みすみす犯行を許した警察も高齢者だからと事態を軽く見てはいなかったか。筆者も「老い」の重みが分かり始める年になった。こんな事件が起きると、しばらく考え込んでしまう。日本の老後、大丈夫か。

（2016・2・17）

ビッグひな祭り

思い出すのは殿川先生のことである。武男の名の通り豪放磊落（らいらく）な人だった。元教師。退職後は勝浦町の住民団体の代表として、長くまちおこしに携わった。

その一つが、ビッグひな祭り。今年も人形文化交流館できらびやかに開幕した（4月3日まで）。高さ8メートルのひな壇を中心に、約3万体の人形が並ぶ。夏にはリオデジャネイロ五輪にも出張するのだとか。

以前、どんないわれがあって始まったのか、聞いてみたことがある。先生、少し困ったような顔をして「かつて勝浦はミカンで栄え、それはそれは景気が良かったんです。ひな人形も豪勢でねえ」。

由緒として絞り出してくれたのは、こんな話。ひな祭りの関連イベントならどうしても勝浦で、といった積極的な理由はないけれども、子どもたちを喜ばせようとやってみたら好評で、ということらしい。それが今や、ひな人形といえば、である。

継続は力という。初めはよくても、続けるには知恵も手間暇もかかる。それに関わる大勢の人を束ねていくのだから、核になる人の人柄も問われよう。

出掛けるなら、坂本地区などの「おひな街道」にも立ち寄った方がいい。ぶらりと歩けば、素朴なもてなしに心が温まるはずだ。町一円に広がる「ひな祭り」。地域を良くしたいとの先生の思いは、しっかりと受け継がれているようである。

（2016・2・22）

命奪った進路指導

過ちを正し、あるべき道へ導くのが教育というものだろう。1年のときの万引記録が、3年になって進路指導に使われるとは驚きである。学校はその間、「何も教えていない」と言っているに等しい。

「あんなこともあったけど、今は頑張っているよな」。例えばそんな会話が交わせるように生徒を育てるのが教師の役割ではないか。しかし広島県のこの中学では、成長盛りの子どもでも、やり直しがきかないらしい。

事実であれば、無理にでも諦められなくもない。あろうことか今回、そもそも記録にある万引をしたのは別人だったという。誤っていたのは学校の方だったのである。

高校選択という人生の大事に、こんな話ってあるか。遺族は嘆く。「ずさんなデータ管理、間違った進路指導がなければ、わが子が命を絶つことは決してなかった」。ただ、「その記録は違う」となぜ言えなかったか。疑問も湧くが、まだ15歳。

壊れそうな心が、ぞんざいに扱われていると感じている子がいるなら薦めたい。映画「8マイル」。米デトロイト、どん底にあえぐ主人公が問う。「いつ夢に諦めをつければいい?」。友人が返す。「まだ朝の7時半だぜ」

悩める子どもたちへ、小欄からのアドバイス。やりきれないことがあったって、何があったって生きろ。何しろ人生、まだ朝の7時半なんだぜ。

(2016・3・10)

2016年度

この年度の出来事

- 選挙権年齢を「18歳以上」に引き下げ（7月）
- 相模原市の知的障害者施設「津久井やまゆり園」で入所者ら45人殺傷（7月）
- 松友美佐紀選手がリオデジャネイロ五輪バドミントンダブルスで金メダル（8月）
- スマートフォン向けゲーム「ポケモンGO」、徳島市で全国初の死亡事故（8月）
- 県人口が75万人割れ（1月）
- 鳴門に居着く国の特別天然記念物コウノトリにひな誕生（3月）

阿波女

徳島県選出で日本初の女性国会議員となったのが、紅露みつさんである。女性参政権が行使されてから70年の節目を迎え、あらためて光が当てられている。

政界を引退し9年後の1977年にインタビューをした当時の編集者が本紙で述懐している。〈紅露さんは女性初の国会議員39人の中でも傑出した人物だった。「徳島は後進県だが、徳島の女性は先進だ」という自信に満ちた言葉が忘れられない〉

「売春防止法」や、ドメスティックバイオレンス対策の先駆けともいえる「酒に酔って公衆に迷惑をかける行為の防止等に関する法律」を発議するなど、女性の地位向上に動いた。

上州・群馬の生まれ。阿南市出身で弁護士、衆院議員だった夫と結婚して「阿波女」の持ち味に気付いたのだろう。元気で明るく、働き者。女性社長の多さが全国でトップクラスにある阿波女。

そんな女性たちのメッセージが詰まった「徳島の女性経営者一〇〇人に聞く」（アニバ出版）が刊行された。働くことでよりよく生きる。それを伝えてくれる一冊だ。

一人一人に、損益計算書には書き尽くせない話、懐に大切にしまってきた言葉がある。その働き方、生き方は百人百様だが、これまでの苦労を嘆くのではなく、希望に変えてきた人の足跡をたどりながら、こう思う。昔も今も「徳島の女性は先進だ」と。

（2016・4・13）

熊本地震

熊本県。4月14日午後9時26分。起きた災害と起きるかもしれない災害の間を生きる、私たちの胸に新たな場所と時刻が刻み込まれた。きのうときょう。同じ顔ぶれで食卓を囲み、くつろいでいたその時、日常を打ち砕かれた家族も多かった。

命が奪われた。孫に優しかったおばあちゃん、近所の子どもをかわいがった主婦、気軽にあいさつを交わしていた女性。別れを告げる間もなく、9人が亡くなった。

一人一人に、ついその時刻まで確かな人生があった。わが身、わが事だったら…そう思うと、いたたまれなくなる。

夜を徹して助けを待つ人を救う作業が続いた。余震におびえ、冷え込みに震える家族、母親にしがみつく幼い子。命を救ってほしい、肩に毛布を掛けて励ましたい。流れる映像を前に声を掛け続けた人もいるだろう。

ボランティアに行く準備を始めた人、既に知人に飲料水を送り、お見舞いの言葉を送った人もいるかもしれない。行く、送る、祈る。無力感にさいなまれることなく、自分に今できることを探したい。災害を経て紡いできた絆に息を吹き込まなければ。

阪神大震災の発生は21年前、東日本大震災は5年前。忘れてはいないのに災害は不意にやって来る。「災間」を生きる私たち。何が起きてもおかしくないような、この世を歩いていくには、備えと覚悟が要る。

（2016・4・16）

避難の現実

画餅、絵に描いた餅。自治体の防災計画にも、そういったところがないか。数字合わせで満足していないか。熊本地震の被災地を歩いて思う。

例えば「福祉避難所」である。通常の避難所では生活しづらいお年寄りや障害者といった災害弱者のため、専門的支援が受けられる高齢者施設などに設けられる。熊本市でも176の施設と協定を結んでおり、計画では1700人の受け入れが可能としていた。

ところが、地震発生当初、利用できたのは100人にも満たず、今も計画にははるかに届かない。もともと人手不足の介護業界。施設の機能に問題はなくても、被災した職員が多く、とても手が回らない状態だ。

助けを求める障害者の声に応えて、熊本学園大は学内に緊急の避難所を開いた。宮北隆志社会福祉学部長は「そもそも周知不足で、福祉避難所の存在自体が知られていない。東日本大震災を経験したのに、実際にはまだまだ至らない点がある」と言う。

翻って、徳島市はどうか。障害福祉課によると、21施設で1155人を受け入れる計画になっている。「熊本の実情は聞いており、再検討が必要だ」。担当者は見積もりの甘さを認める。

「熊本地震でも言われていたことなんだが…」。いずれ起きる南海トラフ巨大地震で、そんな後悔を口にせずに済むように今、被災地に学びたい。

（2016・5・16）

コンコン？

つまらないことを尋ねるのは勇気がいる。しかし放っておけば疑問は大きくなるばかりである。ええい、ここはと、とくしま動物園に電話した。「キツネはコンコンと鳴きますか」

答えてくれたのは、小川嘉弘学芸員。展示動物にキツネはいないものの、警察から預かった3匹を保護中とのこと。で、どうですか？「うちのは鳴きませんねえ」。でしょう、やっぱり。ただ、絶対に鳴かないとは断定できないという。犬や猫が喜怒哀楽、さまざまに声色を変えるように、キツネもさまざまな声を持つ。「コンコンと聞こえることがあるかもしれません」。

少なくとも昔の人の耳には、そう響いたらしい。

「コン」は既に奈良時代、万葉集にも見える。「来む（来るだろう）」に通じ、掛け言葉としても重宝されたようである。国語学者山口仲美さんの「犬は『びよ』と鳴いていた」（光文社）に教わった。ちなみに、源氏物語の猫は「ねうねう」と鳴く。「寝む寝む」と、艶っぽい役どころだ。

タヌキが幅を利かせてきた本県でも、キツネの目撃例が増えている。先日の本紙地方面にも、吉野川北岸の第十堰付近で撮影された写真が載っていた。

里山の荒廃が指摘される。「近年、生態系に異変があるようです」と小川さん。コンコンと、どんな扉をノックして、キツネはやって来たのだろう。

（2016・6・12）

沖縄の痛み

教師だった父は、防衛隊に召集されて死んだ。まだ30代だった。女学生だった姉は、ひめゆり部隊に加わり二度と戻って来なかった。まだ16歳だった。沖縄戦から71年がたつ。それなのに、と思う。

女性暴行殺害事件に抗議する「県民大会」で出会った沖縄市の安里俊子さん(72)が、抑えきれない怒りを語ってくれた。一体、何度繰り返されるのか。沖縄の人間は、いつになったら安心して生活できるのか。

1972年の復帰後、米軍人・軍属が絡んだ犯罪は、凶悪事件だけで575件に上る。大会では、駐留する米海兵隊の撤退や基地の整理・縮小、日米地位協定の抜本的な改定を求める決議をした。日米両政府は、この悲痛な声に、今度こそしっかり応えるべきだ。

恩納村の遺体遺棄現場で手を合わせていた男性(68)。米軍属と結婚した娘がいるという。すべての米兵が悪いわけではないと断りつつ、こう言った。「まるで植民地さ。基地がある限り事件は起きる。県外の人も体験してみればいい。基地のある暮らしを」

沖縄の声は、過重な基地負担を押し付けながら、その痛みにまるで想像が及ばない「本土」の無関心をも問うている。私たち自身が問われているのである。

大会の壇上に立った若者のこんな叫びを聞いた。「今回の事件の第二の加害者はあなた方です」。返す言葉がない。

(2016・6・20)

散乱した遺骨

　ちょうど1年前、沖縄の遺骨収集のことを書いた。その現場の一つ、糸満市喜屋武束辺名の壕のそばに立っている。沖縄戦で日本軍の組織的抵抗が終わったとされる1945年6月23日前後まで、戦闘が続いた地域である。

　壕は崖下に口を開けていた。遺骨収集ボランティア具志堅隆松さんによると、軍民100人余りが潜んでいたという。岩は黒ずんでいる。火炎放射器で奥まで焼かれたのである。

「これは脚の骨ですね。こっちは子どもの骨かなあ」。下あごもあった。若者だろう、奥歯まで虫歯のない歯がそろっている。「ほら、これも骨片」。知らずに踏んでいた。噴き出す汗が止まらない。「私たちは、亡くなった人の上に生きているのです」

　米軍の手りゅう弾の部品、ライフルの薬きょうも。繰り広げられた激しい戦いを物語る。ガジュマルの林に分け入れば、沖縄には、こんな場所がいくらでもある。

「株式会社高木商店」と裏面に彫られた腕時計、「宮城」の名のある万年筆も見つかった。71年前の夏、散乱する遺骨の主は確かに生きていた。

　今春、国はようやく推進法を整備し、遺骨の身元確認に重い腰を上げた。「無名戦没者として火葬しておしまい、ではおかしい。遺骨には家に帰る権利がある。国には返す責任がある」。具志堅さんは、これからも訴え続けるつもりだ。

（2016・6・24）

生き方の貴賤

言葉に打たれるときがある。ありふれているようで、折に触れ思い出す、こんな一言である。〈職業に貴賤はないと思うけど、生き方には貴賤がありますねェ〉(「職人」岩波新書)

ベストセラー「大往生」で知られる永六輔さんが採録した職人衆語録にあった。「生き方には貴賤がある」。何げない物言いだが、改めて口にすれば怖い。お前さんはどうなんだ、と問われている気がして。

亡くなった永さんもそんな言葉に、たじろぎ、迷いながら生きることがあったろうか。「遠くへ行きたい」「見上げてごらん夜の星を」。数々のヒット曲の作詞を手掛け、放送業界でも無二の語り口が人気だった。

「上を向いて歩こう」は、日米安全保障条約を巡る1960年の安保闘争で挫折した経験を歌ったものだそうだ。こぼれる涙を放ってはおけない優しさがにじみ出ていたからこそ、半世紀後の東日本大震災でも、被災者を励ましたのだろう。

一貫して反骨、反権力の人だった。昨今の世相に後ろ髪を引かれつつの道行きには違いない。まっとうに生きなさい。雲の上から聞こえてくるようだ。〈戦争がなくても、事故や病気がなくても、人間はいつか、死んでいく。そのときに、そこに幸せがあるか、生きていたことに感謝ができるか〉(「上を向いて歩こう　年をとると面白い」さくら舎)。

(2016・7・12)

「お金」か「幸せ」か

先日訪ねた寺院の壁に、張り出してあった。墨痕鮮やかに「小供しかるな来た道だ　年寄り笑うな行く道だ」。遠くもない将来を思えば身につまされる。こんな数字を目にすればなおさら。

博報堂生活総合研究所が10年ごとに実施している60〜74歳を対象にした意識調査（複数回答）で、欲しいものは「お金」と回答した人は40・6％。「幸せ」の15・7％に大差を付けた。

世知辛い世の中、先立つものは必要で、調査結果もこんなものか、と思うけれど、40％、お年寄りのため息が聞こえてきそうな数字である。調査を始めた1986年、「幸せ」は31％。28％の「お金」をわずかながらも上回っていた。

96年に逆転した後、差は広がる一方だ。厚生労働省によると、生活保護を受ける高齢世帯は過去最多となり、今や受給世帯の半数を占める。「老後破産」「下流老人」といった言葉がはやるのも、むべなるかなである。

いや待てよ、とも思う。回答者は退職金も年金も、しっかりもらえる「逃げ切り世代」だ。その世代でこうならば、つけを払わされる若者が調査の年齢になるころには、数字の差はもっと広がっている可能性がある。

世代間格差が言われ、子どもの貧困も問題となっている。欲しいものは「お金」。高齢者ばかりではないだろう。世界3位の経済大国の、幸薄い社会である。

（2016・7・25）

いて／いなければ良かった

妊婦の血液から胎児のダウン症などを調べる新出生前診断の利用が年々拡大している。各地の病院でつくる研究チームのまとめによると、受診したのは検査開始から3年間で3万615人。染色体異常が確定した妊婦のうち、94%に当たる394人が中絶を選択した。

「命の選別につながる」との懸念があり、日本医学会が認定した施設で、臨床研究として実施されている検査だ。受診には、出産時35歳以上などの条件がある。

中絶が9割を超す。この数字をどう見るか。重い決断が迫られる検査で、カウンセリング体制は十分だったのか、といったことも含めた検証を抜きにはできないが、障害を持つ人たちが生きづらい社会であることも、少なからず反映しているだろう。

相模原市の知的障害者施設で、19人が刺殺され26人が負傷した。障害のある40歳の娘と暮らす社会学者の最首（さいしゅ）悟さんが、取材にこう答えていた。「この子がいて良かったという気持ちと、いなければ良かったという気持ちがくっついていて、離すことができない」

目を覚まされる思いがしたのは、こうした事件のたびに繰り返される、お決まりの論調にいらだち放った一言だ。「分かったようなことを言うな」

「命は大切」。間違いなく正しい。だが、当たり前の言葉で表層をなぞるばかりでは、事の本質に迫れない。

（2016・8・3）

陸の特攻隊

71年前の、ちょうど今ごろのことである。野茨(いばら)の花咲く満州の荒野で男は待っていた。中立条約を破棄して侵攻してきたソ連軍を。爆弾を背負って戦車に取り付き自爆する「肉攻手」、陸の特攻隊だった。

〈この思い人に強(し)いむと思わざり健(すこや)けくあれ故里人(ふるさとびと)よ〉。一斉砲火を浴びた。戦車の襲来を待たず、仲間は次々爆死していく。「爆弾を体から離せ。誘爆するぞ」。中隊長の声がした。慌てて遠ざけた途端、爆発し、気を失った。意識が戻ると、中隊長は銃弾に額を割られ、倒れていた。白の軍装、覚悟の戦死だった—。戦後、郷里の熊本で教師になった男は、この話を繰り返し家族に聞かせた。

命の恩人には違いない。けれども、死地をさまよった人間の感情は複雑だ。わだかまりが消えなかった。戦争から半世紀近くたったある日、吐き出した。「あの人は、俺ば肉攻手に選んだとたい」。誰よりも仲の良かった俺を、なぜあんな目に遭わせたのか。

部隊は、関東軍の主力を退却させるための捨て石だった。生きては帰れない。ならば同じ学徒兵、文学談義も交わした信頼できる部下と共に。中隊長は、そう考えたのではないか。家族の言葉に、男は絶句した。50年分の涙が頬を伝った。

生前、中隊長の墓参りをしている。〈亡き人の生い育ちたる海よ山よ阿南の春は夕霞(がすみ)して〉山口純彦。

（2016・8・14）

新学期ブルー

晴れや雨といった特定の天気が高い確率で現れる日を特異日という。自殺にも「特異日」があるようで、誕生日に自殺する人は、他の日に比べて顕著に多いらしい。大阪大の研究チームが、過去40年間の人口動態調査のデータを分析して明らかにした。

誕生日を期待通りに過ごせず、孤独感などから心的ストレスが増大し、自殺につながるとする「誕生日ブルー」仮説が欧米にはある。日本も例外ではなく、「自殺の恐れがある人の誕生日が近づいたら、周囲がいっそう注意、サポートする必要がある」と研究者は訴える。

日本の18歳以下の子どもには、別の特異日があるようだ。内閣府が、過去42年間に自殺した子ども1万8048人を日ごとに集計し直すと、9月1日が131人と突出していた。次いで4月11日、4月8日、9月2日、8月31日。いずれも90人台だった。

並べてみれば、すぐに気づかれたとは思うが、いずれも新学期前後である。長期休暇明けの憂鬱(ゆううつ)は、誰しも身に覚えがあろう。「新学期ブルー」とでもいえる状況が、子どもたちには確かにあるようだ。

予兆を見せず自殺する子もいるといい、保護者にとっては、気に掛け過ぎて過ぎることのないこれからの数日である。

命と学校をはかりに掛ければ間違いなく命が重い。死ぬほどつらいなら、休んでいいよ、子どもたち。

（2016・8・30）

若者の悩み

〈わが行く道に茨多し／されど生命の道は一つ／この外に道なし／この道を行く〉武者小路実篤。こんなにはなかなか、すぱっ、とはいかないのである。多くの人にとって人生とは、どたばた、じたばたしながら歩むもの。

だから「嫌い」なんて言いなさんな。徳島県内の12〜22歳の青少年を対象にした県の調査で、36％が自分のことを「嫌い」「どちらかといえば嫌い」と回答したという。

容姿に学業と悩み多き10代、20歳そこそこなら、これくらいの数字にはなるか。「自分が好き」と公言されるよりも、むしろ自然な感じがする。「生活の満足度は」との問いには、84％が「満足」「やや満足」と答えているから、「嫌い」の程度もどれほどか。

とはいえ36％には、出口の見えない暗闇で、もがいている子が含まれているに違いない。そんな子がもし教室にいたら、君ならどうする？

「奇跡の人」ヘレン・ケラーがこんなふうなことを言っている。〈顔を日の光に向けなさい。そうすれば、あなたは影を見ることができなくなる〉。「日の光」は「自分の長所」に置き換えてもいい。見当たらなければ、見つかるまで探し続けること。

誰もが悩みに悩む。大人になるとはそういうことだ。それから…、再び悩みに悩むのである。順風だけの人生があったとしたら、それこそ悩みの種だろう。

（2016・10・3）

競争

米国社会が変わったといわれる。そうには違いないが、それは米国だけでもない。トランプ・ショックも英国の欧州連合（ＥＵ）離脱などと同じ流れの、変容する世界の象徴的な出来事の一つ、と見ることもできる。

世界が変容しているのだから、日本だけがそれから自由であるはずはない。そう思って周囲を見渡せば、気づく。反知性主義にヘイトスピーチ。同様の気分が、日本でも広がっている。先進国と呼ばれる国々では産業の高度化が著しい。主力は今や知識集約型産業であり、お金も名誉もここに集まる。誤解を恐れずに言えば、大層勉強ができなければ、のし上がっていく機会にもそうそう恵まれない。

幼いころを振り返ってみてもらいたい。大層勉強ができた子がどれほどいたか。大方の普通の人々、つまり中間層が生きづらくなっているのが、先進国の一般的な状況だ。トランプ氏の米大統領当選は、経済のグローバル化やＩＴ社会に乗り遅れた人々の不満のガス抜きにはなっただろう。しかし問題の根っこには産業構造の変化がある。過激な言動で解決できないことは明白だ。

それが資本主義社会の特性とはいえ、米国に限らず、お金を生み出す競争には疲れが見える。今をときめく仕事でなくとも明日の不安がなく生きられる。富よりも、幸せの在り方を競う社会を夢想する。

（２０１６・11・11）

正論

最後の国民向け演説が、過ぎ去っていく時代へのレクイエムにも聞こえた。オバマ米大統領の8年間。問題は多かったにしても、正論がまだ正論として通用する時代だった。出番を待っているのは、よほど違った風景かもしれない。

「軽蔑は軽蔑を呼び、暴力は暴力を生む」。ゴールデン・グローブ賞授賞式でトランプ次期大統領を批判した女優メリル・ストリープさんの発言は、疑いの余地もない正論である。ただし。「惨敗したヒラリーの腰巾着。ハリウッドで最も過大評価された女優の1人」。ツイッターで反撃したトランプ氏の物言いは、あまりにも品がなく、非常識だ。それでも。

大統領選を制したのは、ほかならぬトランプ氏なのである。支持者が敵視したのは、ストリープさんのような正論を説く階層だった。一方の言葉が壁に阻まれ、一方にはまるで響かない。正論がその地位を滑り落ち、限られた人々の言葉となりつつある。

俺様第一主義が幅を利かせ始めている。著しい格差に怒る人々の代表が大富豪のトランプ氏とは、皮肉の効いた喜劇のようだが、それほど事態は深刻ということだろう。

戦争の惨禍を、世界は嫌というほど経験してきた。「民主主義の維持には、相違を超えて結束することが重要だ」とオバマ氏。回り道であろうとも、進むべき道は正論の中にしかない。

(2017・1・12)

限りある時間

何も持たず生まれ、何も持たず去っていく。その間のせいぜい百年ばかり。できれば安楽にいきたいが、そうやすやすとはいかない。時に、越えられそうにない高い山があり、深い谷がある。

それでも人は、生きていかなければならない。そんな思いを強くした取材が何度かある。どんな困難を抱えているか知りたくて、筋萎縮性側索硬化症（ＡＬＳ）患者の元へ通った時もそうだった。

全身がまひし、やがては自力で呼吸すらできなくなる病気である。現在、根本的な治療法はない。技術が確立するまで生き抜くことが、唯一の治療法だ。

患者は、既に人工呼吸器を付けるほどで、声を失っていた。言いたいことは、五十音を書いた文字盤に視線を送って一字一字伝える。取材のさなか、ベッドのそばのテレビが中高生の自殺を報じた。介護する妻が患者の視線を声にした。悩みがあるなら「わ・し・を・み・に・こ・い」。

平和運動に力を注いだ神野美昭さんが亡くなった。最晩年はＡＬＳ患者でもあった。体の自由が奪われていく中、生を見詰めた日々だったろう。病床にあって核廃絶を訴え続けた。

泉のように美しい時間には限りがある。〈死はそこに抗ひがたく立つゆゑに生きてゐる一日一日はいづみ〉上田三四二。安逸をむさぼるほどの時があるか。人を見送るたびに瞑目し自問する。

（２０１７・１・18）

就任演説

トランプ大統領の就任演説を聞きながら、おやっ、と思った。断っておくが、ほとんど英語は解さない。それでも、すっと耳に入ってくる。格差に怒る人々を投票所に向かわせたのは、この平易な語り口によるところも大きいのだろう。

分かりやすいということは、それだけ主張が単純ということでもある。分かりやすさが、正しさまで保証するわけではない。権力を、既存の政治から国民の手に取り戻す。「米国第一」を唱え、米国、米国と何度も叫んだトランプ氏。その言葉が、どれだけの人の胸に響いたか。激しい抗議デモも起きた。米社会は分断を抱えながらの4年間になる。国境に壁を築いても、白人貧困層を中心とした「忘れられてきた人々」が望むような国になるかどうか。格差が解消するかどうか。

大富豪と大金融、軍出身者が並ぶ閣僚の顔触れを見ても先行きは不透明だ。期待が失望に変わる日が、早々に来なければいいが。

かつて極端な自国中心主義が戦争への道を開いた。その反省もあり戦後、米国主導で自由貿易体制が形作られてきた。危機をあおりたくはないが、この日をもって、世界の秩序がぎしぎしときしみ始めたことは疑いがない。

嵐が通り過ぎるまで、身を固くして待っているほかないのだろうか。とかく対米追従といわれてきた日本にも、荒波は打ち寄せる。

（2017・1・22）

23歳の受賞者

不平や不満、怒り、憎しみ、寂しさ。ハンセン病に苦しみ、絶望を友とした作家の残した言葉を、支えや救いにして生きてきたという。

阿南市が公募した北條民雄文学賞の大賞に選ばれた森水菜(みな)さんは23歳。10歳で発病し手足の自由が利かなくなった。受賞作は、北條に宛てた手紙の形式をとり、自らの心の内を真っすぐに見詰める。

人間は一人一人違って当たり前、なのに—。〈どうして誰かよりひとつ欠けているだけの自分を受け入れてあげることができないのでしょう。そして世の中もなぜ仲間にいれてくれないのでしょう〉

熊本県阿蘇市から東京へ、北條が隔離収容された療養所の隣に立つ国立ハンセン病資料館まで、車いすの一人旅をしたことがある。必ず助けてくれる人がいた。降りだした雨、北條に問うてみる。やまない雨のないように〈悲しみもいずれ止(や)むのでしょうか〉。

どうせ、かなわない。だから夢は持たずにきた。大賞を受けて、森さんは言う。「希望とか夢を持っていいいんだ、私も。これは何か面白いことの始まり、いや始めなければならないのかもしれません」

阿南市によると、森さんの受賞作「北條民雄様へ」を含む入賞作は、市内の図書館で閲覧できる。困難を抱えた人に、光をともす文学賞。今回限りというが、何とか続きを読ませてもらえないだろうか。

(2017・2・7)

100円ライター

シラスウナギを取って手にしたお金。なくさないようポケットの中、汗ばむぐらい握り締めた。その硬貨で一つ。大正14年生まれの漁師の父へ、初めてのプレゼントは100円ライターだった。

まだ小学生だった40年ほど前、遠い日の記憶である。この1本を、父親は長く使い続けてくれたそうだ。こう言いながら。〈このライターは不思議だ、ガスがなくならない〉

いつまでもなくならない。そんなことはあり得ない。後で知れるが、父親は同じライターを何十本も買い込んでいた。事務機器メーカーのマックスが募った「心のホッチキス・ストーリー」の入賞作の一つ。三重県の50代の男性がつづった。

同社によると、「あなたが今、心にとどめておきたいこと、つないでおきたいこと」の趣旨に、約1万3千件の応募があった。助け合いの大切さを記した作品が多かったという。うち入賞した九つのいい話が、同社のホームページで読める。

東京五輪・パラリンピックに向けて、受動喫煙の防止強化策が議論されているさなか、この欄でライターの話を紹介するのは、気が引けた。がんや脳卒中など、病気になる危険性を高めるのに、喫煙を助長するつもりか、とお怒りになった方もおられよう。

それでも、あえて紹介した理由は一つ。できればこんな親でありたい、と思ったからである。

（2017・2・27）

ザンビアで

そよとでも、風が吹こうものなら倒れてしまいそうなほど、やせ細っている。握手した、その手は冷たく湿っていた。少女は8歳、名前を聞くと「トエラ」と答えた。末期のエイズ患者だった。

アフリカ南部、ザンビアの首都・ルサカの孤児院で彼女に会った。母子感染。生まれたころから病気と闘っていた。「持って数カ月でしょうか」。職員から聞いた。それから15年になる。

裏の林には、小さな土まんじゅうが数十並んでいた。幼くして亡くなった子どもたちである。そこを遊び場にしていたラシェル君は、ルワンダ内戦で両親を失った。快活な子だったが、孤児院に来る前のことに触れると口を閉ざした。

卒業式の季節になると、アフリカで出会った子どもたちのことを思い出す。近年、経済発展は目覚ましいが、困難を抱えた子はまだ多い。比べて、先進国の子はどれほど恵まれているだろう。

だから、夢がどんなに大きかろうと、簡単に諦めてはいけない。道がいかに遠くても、路上をねぐらに明日の食べ物を心配したり、少年兵として駆り出されたりする子どもたちよりも、はるかに近い場所に立っている。

そんな不公平な世界を変えよう、といった夢もいい。門出に当たり、心の辞書から「諦め」という言葉を追放しよう。小さな夢さえ持てない子どもがいる。忘れないでほしい。

（2017・3・1）

川上憲伸さん

三遊間の一番深い所から投じた一球に、並み居る野球エリートたちが息をのんだという。「中学を出たばかり。普通なら山なりですよ。それがホップしたように見えた」。徳島商高で川上憲伸さんと白球を追った同僚の記憶である。

当時の野球部長・坂東徹さんに見いだされ、投手に転向し、花開く。甲子園に出場、明治大でスター選手に。中日入団後は最多勝に沢村賞、優勝にも貢献した。２００９年には、大リーグのマウンドに立っている。

川上さんが現役引退を表明した。日米通算１２５勝は県人投手で最も多い。小学校の卒業文集に「プロ野球選手になる」と記した、その夢をそのまま実現したが、けがに悩まされ続けた。新人王を獲得して数年、調子を落としたことがある。直球に近い球速で鋭く曲がるカットボールを習得して復活、巨人相手にノーヒットノーランを演じた。

浮き沈みのあったプロ生活。過去記事を繰っていて、こんな言葉を見つけた。「ユニホームを洗い、早起きしてご飯を作ってくれる母を将来、絶対に喜ばせたいと思っていた。そんな恩返しの心がこれまでを支えてきた」

慣れ親しんだ背番号11、漢字なら十一、プラス1とも読める。これからの人生も真っ向勝負なのだろう。今季、中日に入った大学の後輩に「人間力　魂」としたためた色紙を贈ったそうだ。

（２０１７・３・20）

唯一の被爆国

立つ位置によって、見える景色は違う。落とす側と落とされる側、ましてや実際に2度も落とされた国とあれば、核兵器の恐ろしさは他のどこよりも分かっているに違いない。そう期待していた国は多かろう。

核兵器を非合法化し、廃絶を目指す「核兵器禁止条約」交渉に、日本は不参加を表明した。「核兵器国と非核兵器国の対立を一層深め、逆効果になりかねない」。これが、わが国の立場なのだそうだ。

「核の傘」の下にある。だからといって、条約交渉を巡っても、落とす側の末席に座ることはない。矛盾を抱えつつも、核廃絶の先頭に立つ。そして核保有国と非核保有国の橋渡しをする。それが唯一の戦争被爆国の務めではないか。

核戦力の強化を目指す米政権の意向に、あまりにも従順。被爆者は強く非難する。「自分の国に裏切られ、見捨てられているとの思いが強まった」。やけどで真っ黒に膨れ上がり、消え入るような声で水を求めながら死んでいった人々に、顔向けができようか。

核保有国が加わらない禁止条約は意味がない、との主張がある。しかし100を超す国が作る条約である。その道義的圧力を、保有国が無視し続けられるはずもない。条約で生物兵器や化学兵器を禁じた例もある。

核廃絶の道は遠くとも、落とされる側から世界を見ずして、何が唯一の被爆国か。

（2017・3・30）

2017年度

この年度の出来事

・イオンモール徳島全面開業（４月）
・消費者庁が徳島県庁に新たな政策立案拠点開設（７月）
・徳島自動車道で16人死傷事故（８月）
・吉野川上流でラフティング世界選手権（10月）
・小松島市出身の俳優大杉漣さん死去（２月）
・森友学園に関する財務省の公文書改ざんで国会紛糾

「好」と「信」

夢はツアーガイドだったという。出身国・ベトナムの友達に日本を紹介したい、と話していたという。漢字の勉強に打ち込んでいたそうだ。「好」は一つ上の学年、小学4年生で習う。その前から、日本を好きでいてくれたリンさんである。

「信」を習うのも、同じく小4。誰も信じてはいけなかったのだろうか。そう教えなければいけなかったのだろうか。千葉の小3女児殺害事件で、近くに住む小学校の保護者会長が逮捕された。

容疑者には小さな子どもがいて、見守り活動にも熱心だったようである。リンさんも、毎朝のように通学路で顔を合わせていたのではないか。何事かあれば、きっと守ってくれる。そう思いこそすれ、怪しむことなど、かけらもなかったはずである。

危険は、どこに転がっているか分からない。これから、誰を信じればいいのか。小さな子を持つ保護者は、心配を募らせているに違いない。スクールバスなど、新たな安全対策を考えるべき時期なのかもしれない。

卑劣の「卑」の字は、中学生になってから学ぶ。「好き」とは異なり、その意味は、相応の年齢にならなければ分かるまい。疑うことも知らないうちに、リンさんは殺され、遺棄された。「なぜなの、どうして」。大声で叫びたかろう。幼い命の問い掛けに、私たちはどう応えていけばいいのだろうか。

（2017・4・16）

喜劇人・中山美保さん

のんきと見える人々も、心の底をたたいてみると、どこか悲しい音がする。そういうものらしい。ピエロの頬を伝う涙の化粧も、こっけいさの裏にある感情の厚みを表している。

おどけ者のピエロに哀感を加え、芸術にまで高めたのは19世紀のパリ、フュナンビュール座の人気俳優だったドビュロー。涙を流す道化師は、同時代の知識人にも愛された。フランス映画の名作「天井桟敷の人々」は、死の直前まで舞台に立ち続けた彼を巡る物語だ。

こうした話からは、遠い場所にあるような気もする。だがどうだろう吉本新喜劇。そこに上がるまで、例えば食堂のシーンでのひとこけにも、観客には見せない苦労があるに違いない。

徳島市出身の新喜劇俳優、中山美保さんが亡くなった。しばらく姿をお見かけしないと思ったら、舞台出演後に体調を崩した２００９年から、自宅で療養していたそうだ。

個性的な人が多い新喜劇にあって、整った顔立ちが光った。マドンナ役で、母親役で、脇から芝居をぴりりと引き締めた。新喜劇に入り40年余、積み重ねた経験には、きっと涙も含まれていたはずだ。

この世界は一つの舞台で、人は役者にすぎない、という。だとすれば、人を笑わせる側でいたい。「喜劇人で幸せだった」。78年の生涯の幕を閉じるに当たって、聞けばそう答えてくれたのだろう。

（２０１７・４・17）

殺人事件の背景

涙なしには読めない記事がある。1年ほど前、本紙社会面に掲載された「記者手帳」も、そうだった。ある殺人事件の背景を伝えていた。

記事は、長年連れ添った妻の首に、夫が手を掛ける場面から入る。暴れる妻を押し倒し、「ごめん、ごめん」と言いながら5分以上、力を込め続けたという。

約40年前にさかのぼる。千グラムの低体重で生まれた長女には重度の障害があった。妻は看護師の仕事を辞し、介護に専念する。精神状態が不安定になったのはこのころだ。

十数年の後、娘を失うと症状はさらに悪化し、奇行が目立つようになった。夫の顔すら分からなくなった妻を見て、夫は殺害を決意した。「妻は病気と闘ってきた。もう頑張らなくていい。これ以上つらい目に遭わせたくない」。身勝手な動機と言えば言える。

同じような話がどのくらいあったろう。警察庁のまとめでは、２０１４年に全国の警察が摘発した親族間の未遂を含む殺人事件や傷害致死事件は計２７２件。介護や育児疲れ、金銭困窮などで「将来を悲観」しての犯行が最も多かった。

個人の生活に立ち入るのは難しい。苦悩する家族を孤立させない仕組みを充実させても、どれほど救えるか。先の夫は直前まで、命ある限り妻と一緒に生きていくつもりだったそうだ。そう聞けば救えたかもしれない、とも思うのである。

（２０１７・４・19）

いろは歌と仏像

いろはにほへとちりぬるを（色は匂（にほ）へど散りぬるを）。いろは歌は、空海の作と伝わる。幼少時を過ごしたとされる石井町の童学寺でしたためた。

徳島県人としては、この説を推したいところだ。ただ、そうしようにもかなり旗色が悪い。「金光明最勝王経音義」なる書物に見え、平安時代にできたのは間違いないが、作者は空海ではないというのが定説になっている。

では、童学寺。まるで関係ないか、と言えばそうとも言えない。「日本古典文学大辞典」（岩波書店）には、いろは歌を作ったのは、おそらく僧侶だろうとある。さては時の寺僧か、と想像するぐらいは許していただこう。

伝承も場所を選ぶ。いずれにせよ、空海の学問所と主張して見合うだけの歴史が童学寺にはある。創建は飛鳥時代にさかのぼるとも。それが先日、火災に見舞われた。戦国武将・長宗我部元親の阿波侵攻以来の火難である。

国指定重要文化財の木造薬師如来坐像（ざぞう）は、本堂に火の手が回る前、住職が運び出して焼失を免れた。これまでは年に一度、檀家（だんか）だけが拝むことのできた秘仏だったそうだ。寺院再建のスタートとして、きょう一般公開する。

いろは歌と同じく、平安時代から大切にされてきた仏像である。どれだけ多くの人が手を合わせてきたことか。その列に加わり、古刹（こさつ）のこれからを祈ろうと思う。（2017・4・23）

徳島ウイングス

陸上の桐生祥秀選手が、島根県の出雲大会で男子100メートルの「10秒の壁」に挑んだ日、鳴門市の運動場で「徳島ウイングス」の練習を見学した。来月20、21の両日、神戸市のほっともっとフィールド神戸で開かれる障害者野球選抜全国大会に初出場する。

51歳の西上勝監督は幼いころ、歩いていて車にはねられ下半身が不自由になった。車いすで捕手を務める。64歳になる内野手の湯源紀(ゆげんおさむ)さんは事故の後遺症で脚が曲がらない。

選手は現在、20~70代の17人。内臓機能も含めた身体に、あるいは知的に、それぞれがどこかに困難を抱えている。乗り越えたか、回り道をしたか、穴を開けたか。その方法は人によって違うけれど、目の前に立ちはだかった壁と向き合ってきた面々である。

腕一本での鋭いスイングに、グラウンドに立つまでの苦労がしのばれる。いきおい筆は美談へ流れそうだが、ぐっとこらえて強調したいのは、このチームの持つ明るさだ。

当たりもしなかったボールが内野まで転がった。そのうち外野まで飛ぶように。練習は裏切らない。それがうれしくて、夢中でボールを追い掛ける。

障害者が野球なんて、と頭から決めつける人がいる。西上監督は相手にしない。「やれる方法を見つければ、何でもできるものですよ」。野球に限った話でもあるまい。ただ今、選手募集中。

(2017・4・25)

明日も／喋ろう／

事件を説明するパネルの間に、レンガ色の短冊がかかっていた。〈憲法記念日ペンを折られし息子の忌〉みよ子。解決を願いつつ、2年前に亡くなった母が詠んだ。朝日新聞阪神支局襲撃事件から30年になる。

兵庫県西宮市の支局を訪ねた。市役所そばの住宅街の一角、意外なほど静かな場所にある。1階に設けられた祭壇に、よく知られた写真が飾ってあった。線香の煙になでられ、ネクタイを緩めた小尻知博記者が笑っていた。まだ29歳だった。

3階が資料室になっている。当時着ていたブルゾンが、ガラスのケースに収まっていた。穴が開き、血が染み込んで変色している。犯人の撃った弾は、左脇腹から記者の体内に入り、約200の散弾粒をはじけさせた。

展示品には「赤報隊」を名乗る犯行声明文もあった。「反日分子には極刑」とワープロで印字されていた。思い返せば「反日」は左右の特異な集団の言葉ではなかったか。それがもはや一般化したことに30年の月日を思う。

〈明日も／喋(しゃべ)ろう／弔旗が／風に／鳴るように〉（小山和郎）。言論の自由を封殺しようとする動きは、事件後も続いている。屈しない、との決意は、この詩を掲げる朝日1社のものではない。政治的立場も超える。

同じ日、安倍晋三首相は憲法を改正し2020年に施行する、と表明した。喋ろう私たちも。

（2017・5・5）

田舎風の野太い人

京風の上品な膳に、「水くさくて食えぬわ。料理人を殺してしまえ」と息巻いた、というのは織田信長のよく知られたエピソードの一つだ。江戸時代の随筆「常山紀談」に出てくる。料理人の姓は坪内、名までは伝わっていない。鶴鯉の包丁をはじめ、伝統的な七五三の膳の儀式にも明るく、宮中でも通用する第一級の腕前だったようである。「いま一度機会を。それでだめなら腹を切る」と願い出て許しを得た。

翌日の朝食の席。今度は殊の外うまかったようで、さすがの信長も大いに喜んだ。実はこの人、信長に滅ぼされた三好家の料理人だった。この後、聞く人も驚く皮肉を口にする。

「三好家は、長輝に始まり5代にわたって日本の政治を仕切ったのだから好みも一流。きのうはそれを出したので、まずいと言われたのも無理はない。けさは三流の、田舎風の味付けにしたから口に合ったのでしょう」

信長をやゆする小話だが、徳島人としては別のことを思う。阿波から出た三好氏が、いいところまで行きながら、天下を取れなかったのは無理もない。味覚まで京風に染まっては、戦国を制して、次の世を切り開けるはずがなかった。

もう一つ思う。三代続けば末代続く。そんな政治家が随分と目立つ今どきの政界である。この辺で次の世を開く、田舎風の野太い人が出てこないものか。

（2017・6・5）

戦争語り部

ありがたいことに、本紙をこの欄から読み始めてくださる方が結構いる。食事中なら、今日ばかりは目を通すのを後にしていただけるとありがたい。

体験者でなければ語れないことがある。主力空母4隻が沈められ、太平洋戦争の転機となったミッドウェー海戦。大阪市の瀧本邦慶さんはそのうちの1隻、「飛龍」に乗り組んでいた。自艦沈没後、収容された戦艦での体験は、95歳になる今も鮮明だ。

「焼き肉の腐ったようなにおいが艦内に充満していたんですわ」。負傷兵が大勢横たわっていた。飛龍もそうだったが、攻撃を受けた際に大火災が発生し、多くがひどいやけどを負っていた。

内地帰還後、入院した病院で「隔離」された。海戦を報じた1週間前の新聞を読み、理由が分かった。「わが方の損害は1隻撃沈、1隻大破だと。大本営はうその発表をしていたんですわ」。傷が癒えると南洋の最前線に送られ、戦友の半数は飢えて死んだ。

小松島市であった講演会では2時間立ったまま。戦争を語れば「左巻き」といわれるご時世に嫌気も差すが、これだけは、と声を張り上げた。「国は平気でうそをつく。もうだまされてはいけない」

子や孫の平和な未来を願えば、戦争体験者の生の声がいかに大事か。講演会を続ける「たつえ歴史教室」の廣田正大さんらは、語り部を探している。

（2017・6・21）

7月4日未明

前年の配給でくじに外れ、ズック靴がもらえなかった。だから空襲のあった1945年7月4日未明も、父親が作ってくれたゲタを引っかけて外へ飛び出したはずだ。齋浦辰雄さん(83)は当時、国民学校5年生。徳島県庁近くの自宅で難に遭った。

燃える家並みを抜けて水田に潜んだ。焼夷弾(しょういだん)の雨はここにも。さらに東へ、と駆けだした途端、今いた場所に火柱が立った。前方にも炎が上がった。観念して、そばの用水路に飛び込んだ。

「怖かったかって? 覚えてないんです。家族の背中を夢中で追い掛けていた。命からがら、という時は、いちいち怖いなんて思っている暇はないのかもしれませんね」。橋の下、ヒルに吸い付かれながら、水に漬かって一夜を過ごした。

材木店だった自宅は全焼した。たまたま前日、疎開させようと大八車に積んでいた家財道具もろとも。やたら見通しの良くなった市街地。物不足の戦後も使い続けることになる鉄の風呂おけだけ、ぽつりと焼け残った。

幸い同級生は全員無事だった。「同窓会で戦争の記憶を語る人はいない。みんな一緒に貧乏で、みんな一緒に苦労した。だから話にならない」

そんな体験を持つ人が減れば減るほど、政治の言葉が勇ましくなっていく気がするという。歴史は繰り返すとの文句も頭をよぎるこのごろ。徳島大空襲から72年。(2017・7・5)

救援列車走る

ストーブの火が消え、震える人がいる。がれきを処理する重機が動かない。２０１１年3月11日の東日本大震災発生直後、被災地は著しい燃料不足に見舞われた。鉄道や高速道路といった大量輸送網の本線が、地震で寸断されたためだ。

運び手として選ばれたのがＪＲ貨物である。日本海側のルートは生き残っていたものの、問題は南東北で、非電化区間のある磐越西線を通らなければ、拠点の福島県郡山駅にはたどり着けない。〝救援列車〟運行へ、全国から旧式車両がかき集められた。

鉄道員の不眠不休の奮闘ぶりが、絵本「はしれ　ディーゼルきかんしゃデーデ」（童心社）に描かれている。子ども向けだが、重いタンク貨車を引いて雪の急坂で立ち往生する場面など、手に汗握る描写が続く。

ＪＲ貨物広報室によると、3月26日から本線復旧までの20日余り、磐越西線の緊急ルートで運んだ燃料は1万９８９２キロリットル。タンクローリー車約千台分になる。

「使命感ですかね」と照れくさそうに広報担当者。「大災害のような事態に直面したとき、自分たちが何とかするんだという魂が、今もＪＲには息づいている。だから鉄道は必要なのです」。交通問題に詳しい作家の冷泉彰彦さんは言う。

民営化から30年。極めて厳しい状況にあるＪＲ四国の今後を議論する上でも、知っておきたい事実だ。

（２０１７・７・14）

鶴林寺の地蔵菩薩

勝浦町の四国霊場20番札所・鶴林寺は、標高550メートルの山の上。うっそうとした巨木の森の中にある。本尊の地蔵菩薩(ぼさつ)は、この山で修行した空海の作と伝わる。

山門に一対の鶴の木像がある。一羽は大きく口を開き、もう一羽は全てをのみ込んだように、ぐっと閉じている。いずれも、ただならぬ形相だ。なぜか。気になり、中津公雄住職に聞いた。

地蔵は人々の身代わりとなって、苦しみを引き受ける代受苦の菩薩。功徳を各地に伝えるのが鶴の役割だそうだ。寺の創建とも関係しており、本堂の前には、古くから雌雄の鶴の銅像があった。

戦争中の話である。金属供出で、鶴は大師像とともに召し上げられた。大師像は戦後、寺の総代が大阪で捜し当てた。溶かされ、弾丸にでもなったのか、鶴は戻ってこなかった。

それを悲しみ、県内のある人が自ら彫って寄進したのが、先の像だという。詳しいことは分からないものの、戦中戦後の苦難が一彫り、一彫りに宿っていることは疑いがない。いきおい表情も険しくなったのではないか。

やがて再建された銅像に役を譲り、山門に移った今も、鶴は何事か叫び続けているようである。「世界が平和になるのはいつか。対話の努力を忘れていないか。そんなことかもしれません」と中津住職。優しさに思いやりも。訴える種の尽きない現世である。

（2017・7・30）

82の墓碑

角谷昭三さんは、オロナミンCのラベルや、金長まんじゅうのあの狸（たぬき）を手掛けた高名なデザイナーだ。徳島との縁は、海軍飛行予科練習生、予科練時代にさかのぼる。酔うとよくこんな話をしたという。

事件は72年前のきょう、8月2日に起きた。砲台建設に動員され、この日午前、昼食のカレーを積み込んで鳴門を出航、目的地の淡路島阿那賀港まであとわずか、というときである。練習生が乗る小型機帆船「住吉丸」を突然、米軍戦闘機が襲った。

木造船は火を噴き、炎に焼かれる者がいた。鋼鉄板も貫く機銃弾に、血がほとばしり、肉が飛んだ。海峡は赤く染まった。練習生ら109人のうち、82人が死に、角谷さんも大けがを負った。

所属は、すみれの花咲く大劇場に本拠を置いた宝塚航空隊。6月に練習生になったばかりだった。彼らが乗る飛行機など、このころは既にない。先輩は急造の特攻兵器の搭乗員として駆り出された。戦争が長引けば同じ運命をたどっただろう。

事件に詳しい友人に誘われて先日、筆者もゆかりの地を巡った。島田島の慰霊碑と向かい合って立つ阿那賀の観音像の前には82の墓碑がある。刻まれた年齢は15、16、17歳。14歳の子もいた。

「わが子と同じ年頃の多くの才能が、むなしく消えていったと思えば、たまらんね」。少し声を詰まらせて友人が言った。

（2017・8・2）

梅雨じぇんしぇん

全国の新聞コラム担当者で、その著書のお世話になっていないという人は、多分少数派だ。気象キャスターの草分けで、エッセーの名手として知られた倉嶋厚さんが亡くなった。

気象庁に入り、主任予報官や鹿児島地方気象台長などを歴任。定年退職後、NHKのニュース番組で気象キャスターを務め、分かりやすい解説が人気を呼んだ。

話はそれるが、天気解説者といえば「梅雨じぇんしぇん（前線）」で思い出すだろうか。阿波弁尽くしの語りと真面目な人柄で親しまれた、美波町出身の福井敏雄さん（2005年死去）である。

予報官として最も印象に残るのは、1958年1月26日、悪天候で沈没し、乗員乗客167人全員が犠牲になった南海丸事故だと明かしたことがある。以来、和歌山航路を利用するたび、必ず甲板に出て手を合わせたそうだ。

見通しの狂いが人命にかかわる。倉嶋さんも福井さんも、緊張感とともに自然と対していたはずである。福井さんが俳句を好んだのも、季節との、そんな付き合いがあってこそだろう。

5号は去ったが、台風シーズンはこれから。「日和見の事典」（東京堂出版）で、安全を人任せにしないように、と倉嶋さんは注意を促す。〈個人の判断・選択・行動が生死を分けることが多いのも事実です〉。言葉のあるじなき後も、生き続ける警句だ。

（2017・8・8）

日本の戦争が終わった日

へたな俳句ならともかく、何事も「けり」を付けるのは難しい。戦争もまた。きょう「終戦の日」。ご存じの方も多いだろうが、先の大戦はこの日に終わったわけではない。

政府がポツダム宣言の受諾を連合国へ通達したのは14日深夜。戦争継続を主張する一部将校によるクーデターは失敗し、15日正午、昭和天皇の詔勅がラジオから流れた。

「耐え難きを耐え、忍び難きを忍び…」。もはや空襲におびえることはなくなったが、これには「本土では」のただし書きが付く。この段階では一方的な意思表明にすぎず、戦争を完全に終結させるには正式な降伏の調印が必要だった。

作家半藤一利さんによれば、政府や軍部は国際法の常識を、よく知らなかったようである。9日、中立条約を破棄して侵入してきたソ連は、これにつけ込んで猛攻を続けた。日本側の戦死者は8万人ともいう。シベリア抑留を含めると、犠牲者はさらに万単位で増える（「ソ連が満州に侵攻した夏」文芸春秋）。

略奪に暴行、集団自決、残留孤児。満蒙開拓団の悲劇は「終戦」以降に起きた。戦闘にも巻き込まれ、72年前のきょうも大勢が死んだ。樺太や千島列島でも激しい地上戦があった。

9月2日、連合国の提示した降伏文書に調印し、日本の戦争は終わった。戦没者は計310万人。加害者であり被害者であった。

（2017・8・15）

三番叟まわし

かれこれ、20年近く前のことだ。「芸人になりたいんです」と、中内正子さんは言った。何と酔狂な。そう思った。いつまで続くことやら。意地悪な予想は外れて、今日に至る。

中内さんが代表を務める「阿波木偶箱まわし保存会」が、地域文化の活性化に貢献した個人や団体を顕彰する「サントリー地域文化賞」を受ける。パートナーの南公代さんをはじめ、たくさんの人に支えられての受賞である。

消え入りそうな火にまきをくべた人。中内さんの功績を手短に言えばそうなる。三番叟まわしは部落差別と結びついた芸だった。自分の代で廃業と決めていた師匠の門を、何度断られてもたたき続け、手ほどきを受けた。

最初は見られた芸ではなかった。おや、と思い始めたのは、何年か後、門付けに同行したときである。中内さんらを自宅に迎え、えびす人形の手をじっと握り、涙を流すお年寄りがいた。

東日本大震災の被災地、宮城県内の仮設住宅での公演でも、同じ涙を見た。人は人形の向こうに、何か大切なものを感じ取るのだろう。保存会が届けたのは芸ではなく「希望」だった。

三番叟まわしは本県に伝わる正月の祝福芸。保存会の活動がなければ、いずれは絶えていた。それが今や海外公演を行うほどに。伝承教室も複数生まれている。中内さんがくべたまきは確かな炎となった。

（2017・8・29）

ＳＮＳとの戦い

ある中学教師を知っている。こういう言い方は失礼かもしれないが、生徒の心をつかむのがうまい。子どもたちに正面からぶつかる情熱家。日々、真剣勝負。

球技から武道までさまざまな部活を担当してきた。いずれも素人なのに、ことごとく県大会で華々しい成績を残している。よほど生徒に信頼されているに違いない、と勝手に推測している。

その彼に今、何が一番問題か、と尋ねてみた。間髪入れず「毎日、ＳＮＳとの戦いですよ」。フェイスブックにツイッター、無料通信アプリのＬＩＮＥ（ライン）。おぼれている生徒が大勢いる。

聞いて驚いたという。「先生、私５００人も友達がおるんじょ」。その子にとっては、本当の友達と仮想空間の友達との間に、まるで違いがないようなのである。人と人との関係が薄っぺらになっている。受験勉強の最中も、延々と返信し続けなければならない友達とは何だろう。

「ひと昔前は教師に向かってくる生徒がいた。けれども、その方が対処しやすかった。今は、いじめも仮想空間で起き、把握しづらい。分かったころには大ごとになっている」

県教委の調査では、携帯電話を持つ子は年々増えており、小学６年生で半数を超す。中学２年で６割、高校になれば、ほぼ全員。この上なく便利で、著しく危うい道具が、子どもの手の中にある。

（２０１７・９・５）

ずさんな捜査

インターネットを悪用したチケット詐欺事件で、無実の専門学校生を誤認逮捕した三好署の釈明はこうである。「逮捕する理由はあった。ただ、客観的な証拠は十分ではなかった」

確証はなかったけれど、確信はあったということか。間違った見立てで始まった捜査は、逮捕後も修正がきかなかった。「裏付けするにも、供述内容が曖昧で証明できなかった」とは言うものの。

急転したのは、専門学校生が釈放されてすぐ、チケットの送付を記録した「特定記録郵便物等差出票」を自ら見つけてのことだ。これをきっかけに、成り済ましていた中学生が浮かんだ。思い込みが邪魔をしてか、県警が探したのは郵便局1局だけで、差出票はその隣の局にあった。

「証明できなかった」のは、「供述が曖昧」だったからではなく、基本を外れたずさんな捜査だったからだろう。多くの冤罪(えんざい)事件と同様、19日間も勾留された専門学校生が、「もういいや」と警察の言い分通りに自白をしていれば、どうなっていたか。

ネットでは、他人に成り済まして金銭や物品、情報を詐取する行為が横行している。冤罪を生んだパソコンの遠隔操作事件もあった。

取り締まる県警が中学生に踊らされるとは情けない。もしや自分も、無実の専門学校生と同じ目に遭うかもしれない。そんな不安さえよぎる失態である。

（2017・9・13）

アヅチ選手の一歩

アムロではなく、アヅチと読む。アムロが引退を決めた年、アヅチは大きな一歩を踏み出した。

宮崎県日向市で開かれたサーフィンの世界ジュニア選手権で、海陽町の安室丈選手が初優勝した。16歳。国際サーフィン協会主催の大会で日本選手が個人種目を制したのは初めてだそうだ。

父の正人さんはサーフボード工房を営む。毎日波に乗る、その背中を見て育った。14歳でプロ入り。大胆で華麗な技が持ち味だが、海から上がれば「人見知りで内弁慶」とは母英子さんの評だ。「みんなが応援してくれたので優勝できた」と勝者の弁もしおらしい。

同級生の上山キアヌ久里朱選手も、初挑戦で3位に入った。「次は18歳以下の部で優勝すればいいかな」と、こちらは先をにらんでたくましい。女子は徳島市出身の川合美乃里選手が4位につけた。

サーフィンは、ポリネシアの民が古くから楽しんでいた遊びに起源を持つという。波乗りにふけるのは不道徳として19世紀、ハワイに来島した宣教師によって禁止された不幸な歴史がある。先住民の文化を再興したのが、20世紀初頭の五輪水泳メダリスト、デューク・カハナモク。

2020年の東京五輪で、初の正式競技となった。四国の海に青く染められた若者たちが、オリンピックの波に鮮やかなラインを描く姿が目に浮かぶ。これは待ち遠しい。

（2017・10・3）

世界をゆるがした十日間

ロシア革命を目撃した米ジャーナリストのジョン・リードは、それから3年後、母国を追われ、モスクワで亡くなっている。33歳の誕生日を目前に、旅先で食べたリンゴからチフスに感染した。

著書「世界をゆるがした十日間」は、史上初の社会主義政権が誕生した11月革命（ロシア暦では10月）の第一級のルポルタージュとして名高い。〈それは冒険であった。人類がかつて乗り出した冒険のうちで、もっとも驚嘆すべきものの一つ〉。筆は高揚感に満ちている。

１９１７年11月７日の政権奪取から、きょうで１００年になる。ソ連型の社会主義は専制政治の一形態となり、ついには崩壊するが、優秀なジャーナリストといえども当時は、そのかすかなにおいすら感じ取れなかっただろう。

ひとえに時代である。革命のスローガンは「平和！　パン！　土地！」。民衆は第１次大戦に苦しみ、飢えていた。今とは比較にならないほど低い生活水準を想像すれば、リードが社会主義に傾倒したのも無理はない。

負の面ばかりを見せられ、現在も近隣国に悩まされる私たちは、現実的であることが、いかにも正しいことだと信じがちだ。

ロシア革命の壮大な実験は、失敗に終わったと総括できよう。しかし格差が広がるこの世界で、理想の社会を追い求める姿勢だけは、見習うべきだと思うのである。　（２０１７・11・７）

面劇

広くは「面芸」、正式には「面浄瑠璃芝居」と呼ぶ。既に後継者が絶えた徳島で、目にしたことがあるという人は、それほど多くはないだろう。木偶の代わりに、人が演じる人形浄瑠璃とでも言えばいいいか。

登場人物が何人いても演者は一人。面と衣装の、役柄に合わせた早変わりが一番の見どころだ。田舎芝居のにおいのする面芸を洗練し、「面劇」に高めたのが花之家花奴（はなのやはなやっこ）（本名・岩佐伊平）である。この人なかなか面白い。

石井町の藍商の家に生まれた。旧制脇町中から大阪の医学校へと進んだものの、当主だった父が急死。帰郷して代用教員になったはいいが、阿波弁で言う「もったはん」（お金持ち）にままある芸事好きが高じて出奔、歌舞伎の世界へ飛び込んだ。松竹で女形を20年。

その間、旅役者になったり、小作争議を収めに戻ったり、実家と劇場を行ったり来たり。仙台で出合った面芸に工夫を加え、面劇を確立したのが戦時中の1943年。

人形師・天狗久に作らせた上等の面をそろえても、活動はできず、全盛期を迎えたのは戦後、農地解放で広い田畑を失ってから。国立劇場での公演で文化庁優秀賞を受けている。

企画展（きょうまで、石井町役場）で、記録映像を見た。指の先まで柔らかな身のこなしはさすが。95年、94歳で死去。一代限りとするには惜しい芸である。

（2017・11・29）

赤ちゃん連れ

生後7カ月の長男を抱いて自席から動こうとしない女性市議、規則違反だからと幼子の退室を迫る議長たち。その画像に、胸を突かれた。もしも自分がその場にいたら、どうしただろうか。

熊本市議の緒方夕佳（おがたゆうか）さんが投じた一石が、波紋を広げている。42歳、2児の母。開会が遅れる結果になったことをわびながら「子育てとの両立に悩む多くの声を、見える形で表現したかった」と語った。

議会のルールに乳児同伴禁止はなかった。想定外の光景に、議長も戸惑う。「いきなり何だ、聞いてないぞ」と心で叫んだだろう。「議場を何と心得る」という加勢も聞こえそうだ。結局、「子どもは傍聴人」が退場の理屈になった。

議会って何だろう。乳幼児が泣けば、議事進行を妨げ集中力をそぐだろう。では、聞くに堪えないヤジや、子どもに見せられない乱闘騒ぎはどうなのか。

「場をわきまえろ」「特権的だ、甘えるな」という批判がある。議員の職場ってどこだろう。なり手不足、若者の関心低下に悩むのなら、市民の集まるスーパーの近くや広場に飛び出して、青空議会を開いてみてはどうだろう。

熊本市議会には1週間で480件の意見が寄せられ、賛否は3対2。鋭い問題提起になったのは間違いない。懸命に生きる人の暮らしと共にある。議員に求められるのは、その姿勢ではないか。

（2017・12・4）

運転手さん寝てますか

たまたま乗ったタクシーで教えてもらった話である。5年ほど前のことだという。「運転手さん、寝てますか」。乗り込んできた客に、いきなり尋ねられたのだそうだ。夜のとばりが降りたころ、徳島港のフェリー乗り場でのこと。

いかにも気がせいているふうだった。行き先を聞いて、質問の意味がのみ込めた。遠出になるが睡眠は十分か、と確かめたかったらしい。客は言った。「高知まで。危篤の親が病院で待っている」

斎藤茂吉の歌にある。〈みちのくの母のいのちを一目見ん一目みんとぞただにいそげる〉。東京から郷里の山形へ向かった茂吉。徳島港から高知を目指した客。時も場所も違えど、寸分たがわない心持ちだったに違いない。

一刻も早くと徳島自動車道を西へひた走り、高知市の中心部で降ろした。その後は運転手も知らない。知らないのだけれども、客と運転手、血の通った者同士の話だ。続きは一つあればいい。きっと、間に合ったのである。

〈桑の香の青くただよふ朝明（あさあけ）に堪へがたければ母呼びにけり〉。茂吉の実家は蚕を飼っていた。餌の葉のにおい満ちる明け方、こらえきれなくなったのだろう。母は程なく亡くなった。茂吉31歳のこと。

タクシーを降りて家に帰れば、薄墨のはがきが机の上に置いてあった。過ぎゆく者を振り返る。過ぎゆく時を振り返る。

（2017・12・9）

親方の思いやり

作家北原亞以子さんの「銀座の職人さん」（文春文庫）に、気遣いとはこういうことか、と教えてくれるくだりがある。著名な江戸指物師の初仕事での経験である。

言いつけ通り、桑の木を用いた6枚組の手鏡を仕上げ、6枚分の賃金をもらったが、それで終わらなかった。親方は、続けてこう言った。「最も気に入った1枚を取っておけ」

精魂を込めた初仕事の品は、手放すのがつらく、自分の手元に残しておきたくなるものらしい。得意先からの注文は、実は5枚組で、残りの1枚は職人の気持ちを知り抜いた親方の思いやりだった。

ものを作る人のこうした気遣いは、生み出す品にもおのずから表れる。弟子への配慮は、使う人への思いやりにもつながるのだろう。

つるぎ町の伝統工芸、半田漆器の最後の塗師（ぬし）・竹内久雄さんが生前、土地の言葉で現代の世相をこんなふうに批判していた。「なんぞいうたらすぐ捨てる。ものを大事にしない国は、それを見る目も鈍感になって、文化も衰えていくんじゃろう」

次々と新たな商品が登場し、あっという間に陳腐化していく現代は、愛着を持って長く使ってもらうのが前提の職人の仕事とは対極のところにある。忙しさにかまけ、気遣いや思いやりを忘れてはいないか。人や、ものを大切にしているだろうか。そう問いたかったに違いない。

（2017・12・12）

湯浅良幸さん

忠さんは、二等水兵で海兵団へ入ったが、もう乗る軍艦もないんで、毎日、防空壕(ごう)掘りや、油を取るため松の木を切る作業に引っぱり出された。毎日、自分の息子のような班長に樫(かし)の棒でお尻を叩(たた)かれ、ビンタをとられた(阿波の民話　578回)。

1945年8月15日、敗戦。39歳の「老兵」は、満員の復員列車に乗りきれず、しがみついていた汽車の屋根から転落して人生の幕を閉じた。魂となって郷里へ戻り、実家の戸をトントンと叩くのだが。

華々しく散った「英霊」が枕元に立った、といった話は多い。あえて何かをなしたわけでもない「忠さん」を選んだのは、庶民の歴史を追った湯浅良幸さんらしい。平凡な人間が強いられた理不尽な死。その集積が戦争だ。

湯浅さん自身、14歳で特別年少兵として海軍に入り、苦労を味わっている。無数の忠さんの無念を思い、反戦平和に軸足を置いた戦後。同じ悲劇を二度と繰り返してはならない。年齢を重ねても、取材に執筆に講演に、そんな執念がにじみ出たような仕事ぶりだった。

訃報が届いた昨日、「おーしまい」の結びが印象的な本紙地域面の連載「阿波の民話」は3937回目。節目の4千回まで書き終えての旅立ちだという。

古里を愛し、その未来に幸あれ、と語り続けた郷土史家。最期まで、真っすぐに、ひたむきに生きた。

（2017・12・27）

輪廻転生　犬も人も

真っ白な犬は人間に近い、次の世には人間に生まれ変わってくるといった俗説が昔、あったんだそうですな。その時分、八幡様の境内に1匹の白犬がいましてね―。

新しい年、２０１８年、戌年。平成も数えて節目の30年になる。平成とは、どんな時代だったのか、振り返る機会である。好都合なことに明治維新から、ちょうど１５０年。日本の近代化といった大きな歴史の流れの中で今をとらえ、次の時代を構想したい。

さて、落語家古今亭志ん朝さんの「元犬」は続く。白犬シロは人間になりたくて八幡様に日参、はだし参り。といっても元から靴は履かないが、熱心な願いが届いて、晴れて好男子に―。

ベートーベンの「第九」が鳴門に響いて１００年。近代は膨張の時代だった。戦後は成長と言い換えて、大きくなることばかりを追い掛けた。しかし、明石海峡大橋開通からの20年。成長一辺倒では、この国は幸福になれない。疑問は確信へと変わってきた。

シロはご隠居の世話役の仕事にありつくが、電柱を見ては片足を上げたり、茶わんに口を突っ込んで飯を食べたりと習性が抜けない。人間もなかなか面倒だ。やっていくのも大変大変―。

輪廻転生、犬も人も。時代は巡る、国も世界も、私たちそれぞれの人生も。せっかく人間に生まれたのだものまた1年、先に進むより道はない。

（２０１８・１・１）

正月の長島愛生園

　正月には決まって岡山県の国立療養所「長島愛生園(ながしまあいせいえん)」を訪ねる。島を包む初春の光が好きだ。瀬戸内海がきらめいて、実に穏やかな気分になる。

　年の離れた友人がいた。2001年5月、ハンセン病国家賠償訴訟で、熊本地裁は国の隔離政策の誤りを断罪した。「その時、地裁で握手したんだよな」とか思い出しつつ、車を走らせる。島に入れば国立療養所「邑久光明園(おくこうみょうえん)」。愛生園まではまだ3キロ余りある。友人が入所したのは戦前、小学生だった。「来るなり先輩患者から脅された。ここは病気を治すところやない。患者を集めてぼちぼち殺すところや」。もちろん、薬のなかったころの話である。

　光明園の信号を過ぎて、海に沿って少し。小山をかわし、橋を渡れば愛生園だ。ツタの絡まる歴史館の下を直進すれば、患者が手作業で切り開いた道、さらに高校の跡。ひときわ高い万霊山納骨堂。故郷へ帰れなかった大勢の仲間とともに友人は眠る。山を下れば、幼い子どもも渡った戦前の桟橋跡。

「古里や家族を奪われ、長く差別されてきた。それでも裁判に勝ち、名誉回復も進んだ。だから、わしらはもういい。この社会には、まだまだおるだろ、日の当たらない人が」

　ここを訪れるたび、友人の口癖がよみがえる。「光の届かない所に光を」。背筋をピンと伸ばし、再び瀬戸の海を見る。

（2018・1・3）

忘れるな、1・17

熊本地震の「本震」が発生した2年前の4月16日未明、警備員の鞭馬哲昭さんは、熊本県南阿蘇村の東海大農学部キャンパスで当直勤務に就いていた。学内外の点検に駆け回った際、こんな叫びを聞いている。

「何回も電話しているのに、消防が来んとですよ」。アパートが倒壊し、学生が取り残されていた。震度7の大地震。被害は広範囲に及び、道路網も寸断されて、消防や警察、自衛隊も速やかには到着できない場合がある。

1995年1月17日の阪神大震災の時もそうだった。隣近所の人が力を合わせ、倒壊家屋の住人を救出する光景があちこちで見られた。共助の大切さが繰り返し説かれたのを、ご記憶の人も多かろう。

大災害の発生当初、公の支援はまず期待できないと考えておいた方が無難だ。平穏な毎日が続くと、つい忘れがちになる。災害に強い地域を目指し自治体による非常用品の備蓄も進んでいるが、最も肝心なのは自助だろう。

自分や家族の命をどう守るか。折に触れて話し合い、対策を上書きしないと、いざという時にはおぼつかない。

当方毎年、地域の防災訓練に参加している。恥ずかしながらそのたび、前にも習った緊急時のロープの結び方などを教わる。知っているようで、繰り返さないと身につかないことがある。忘れるな、を思い出す。きょうはそんな日だ。

（2017・1・17）

政界の狙撃手

政敵を震え上がらせる厳しさと、常に社会的弱者の側に立つやさしさと。実体験に根ざした言葉のいちいちに重みがあった。官房長官や自民党幹事長を歴任し、激しい闘争姿勢から「政界の狙撃手」とも呼ばれた政治家、野中広務さんが逝った。

典型的な軍国少年だった。それを変えたのは四国での戦争体験である。1945年、終戦の年に赤紙が届き、高知の陸軍部隊に配属された。本土「決戦」とは掛け声ばかりで、支給された剣は竹みつだった。

「野中広務　差別と権力」（魚住昭著、講談社）によると、近くの海軍航空隊基地から、隊員がよく遊びにきていたという。野中さんの記憶に刻まれたのは、飛び立つ前夜、17、18歳の特攻隊員の嘆きともあきらめともつかないつぶやきだ。「女性と一度も付き合ったことがない」

使われたのは、徳島の航空隊でも特攻機に転用された偵察用練習機「白菊」である。あまりの速度の遅さに、新兵器か、と米軍を慌てさせた不満足な機体で、軍は若者を死地に赴かせた。それが戦争だった。

「ポツダム宣言すら読んだことがない首相が、この国をどういう国にするのだろうか。死んでも死にきれない」と、安倍晋三首相を批判したことがある。戦争を知らない世代が国会を占める今。憲法9条改正も叫ばれる今。

気が気でない旅立ちに違いない。

（2018・1・28）

大島青松園の阿波踊り

褒めているのだか、けなしているのだか。その個性的な身のこなしに「モンキー踊り」と名がついた。阿波踊りの振興に力を尽くした元龍虎連連長、日浅始さんの十八番である。

四国霊場10番札所・切幡寺門前の自宅を訪ねたことがある。国を相手取った裁判で元患者が勝ち、ハンセン病への社会の理解が深まる前から、高松市にある国立療養所「大島青松園」を訪れ、入所者に古里の踊りを披露していた。

差別や偏見とは縁遠い人か。いや、そうではない、と日浅さんは言った。子どものころ、病人が出た家の前を、鼻をつまんで通った。家人はどう思っただろう。悪いことをした、と今も胸が痛む。だから知人から踊りの依頼があった時、一も二もなく引き受けた、と。

こんな話もした。「戦前、寺の門前には物ごいをする患者が何人もいましてね。懸命にその人たちの世話をする夫婦がいたんです。治らぬ病気だ、と恐れられていたころですよ。優しい人と評判でした」

わが目は気づかないうちに差別や偏見で曇っている。一口に共生というが、できそうな人だけを選んでその気になっていないか。無理だと思っても、それでも共に歩む方法を探すのが本当の共生ではないか。生活の場で培った社会福祉論を、自分の言葉で語った。

亡くなる前にもう一度、あの人懐こい笑顔が見たかった。

（2018・1・31）

「そっちやない、こっちや」

たとえて言うなら氷山。見える部分だけつまんでも物語は成立するけれど、海の下にはその何倍もの事実が眠っている。割に合わないほどの時間をかけて深く潜り、真実に迫ろうとしたのが、ドキュメンタリー映画監督、故柳澤壽男（やなぎさわひさお）さんである。「夜明け前の子どもたち」（１９６８年）など、福祉映画５部作で知られる。あすから16日まで東京のシネマヴェーラ渋谷で、代表作23本を上映する「特集」がある。知る人ぞ知る名監督の再評価の機会となろう。

徳島と縁が深い。「ぼくのなかの夜と朝」（71年）では、筋ジストロフィー患者の支援に生涯をかけた徳島市出身の医師、故近藤文雄さんの試みを追った。

「そっちやない、こっちや」（82年）は、ＮＰＯ法人「太陽と緑の会」代表、杉浦良さんの原点がうかがえる作品。立派な入所施設を造るのが福祉と考える行政と、それに疑問を持つ障害者。地域でどう生きるか、障害者自らが模索する共同作業所の開設までを丹念に描いた。

原因企業のＰＲ映画を撮った直後の55年、下流の富山でイタイイタイ病が表面化した。気づかなかったことを悔いて、福祉に焦点を定めたのはそれから。

「金にはならんが面白い」。限りない悲しみがある。倍する喜びがある。「そっちやない、こっちや」。人間とは何か、カメラを通して終生思索し続けた。

（２０１８・２・２）

奪われた未来

熊本県水俣市の支援施設「ほっとはうす」で、水俣病の胎児性患者の声を聞いたことがある。語ってくれたのは50歳すぎ、車いすの男性だった。

「恨みというのはありません。恨んでも仕方がない。ただ、病気でなかったら、どんな人生があったのだろうかと、たまに思います」。夜のアパートで、奪われた未来を探す時の男性の心境を想像し、胸が詰まった。

原因企業のチッソが垂れ流したメチル水銀が、美しい海を汚し、そこで生きる人々の命をむしばんだ。生まれながらに体の自由を奪われ、言葉さえ奪われた人が大勢いる。水俣病が公式に確認されて、既に60年余りがたつ。

悲しみを語ることすらできずに逝った被害者の心情をすくい取り、文章を紡いでいったのが作家の石牟礼道子さんである。代表作の「苦海浄土」で、水俣の実態を知らしめた。

自然との関係を忘れ、お金に支配された近代とは何か。「水俣病は次の文明に進むための人柱だった。この世のものとは思えない声や姿で死んでいった人のことを思うと、涙が出る」。なのに、この国はどこまで落ちていくのか。亡くなるまで「近代」を告発し続けた。

胎児性患者・坂本しのぶさんの母フジエさんは惜しむ。「あげな偉い人、もっと長生きしてほしかった」。日本の近代が始まった明治維新から、今年で150年になる。

（2018・2・15）

裏表なく生きよ

若さの欠点の一つは、あまりにも早く時がたってしまうことである。もっとも、過ぎてしまわなければ分からない。時間はお金で買い戻すことはできない。

県内の多くの公立高校で卒業式があった。就職する人、進学する人、それぞれの前に道がある。まだ見ぬ世界に心を躍らせているか、不安でいっぱいか。もし後者でも、誰もが経験することだもの、さして心配はいらない。

こんな童話がある。懐中時計といえば、今では使う人も少なくなったけれど、それがどうした弾みか、タンスの向こうへ落ちてしまった。それでも、けなげに動いている。

ネズミが見つけて笑った。「ばかだなあ。誰も見る者がないのに何だって動いているんだ」。時計は答えた。「人の見ない時でも動いているから、いつ見られても役に立つのさ」（夢野久作「懐中時計」）

一癖ある作家の作品だけに、いかようにでも解釈することはできる。だが、ここはさらりと、裏表なく生きよ、と読む。ネズミにとっては、他人の評価こそが第一なのだろう。大なり小なりそうでなくては、この社会、やり過ごせないところもあるのだけれど。

周囲の目に全く左右されずにいるのは難しい。それでも、どんな時でも、夢や希望を忘れてはいけない。自分をごまかしてはいけない。目の前に広がる宝石のような時間を、大切に。

（2018・3・2）

命の選別

ナチスが抹殺したのはユダヤ人だけではない。障害者や同性愛者、路上生活者らも対象とし、公式資料で7万人余り、実際には20万人ともいわれる犠牲者が出た。

「生きるに値しない生命」があり、それを排除しなければとの考え方はそのころ、特異なものではなかった。いわゆる優生思想に基づき、米国ではいち早く「断種法」が制定されている。

日本も戦時中、ナチスの断種法に倣った国民優生法を成立させた。

「不良な子孫の出生防止」をうたう戦後の旧優生保護法も、この流れをくんでいる。不妊手術を強制された障害者らは1万6475人（本県391人）に上る。現在の人権感覚からすると、あまりにひどい。

「医師たちの本音を言えば、遺伝の問題よりも、障害のある人が子どもを育てるのは無理とする考えが大きかったのではないか」と関わった精神科医は言う。その感覚は日本の障害者福祉の歩みを振り返ると容易に想像できる。

1996年、旧法が母体保護法に改正されたのも機に、強制不妊手術の実態調査を求める声が上がったことがある。社会は聞く耳を持たなかった。

科学の発達とともに「命の選別」につながりかねない場面に直面することが増えた今、この社会が犯した罪と、今度こそしっかり向き合わなければならない。被害者は高齢化している。救済を急ぎたい。

（2018・3・3）

徳島ラジオ商事件と大崎事件

1978年1月、徳島ラジオ商事件第5次再審請求に際し、冨士茂子さんはこんな歌を詠んでいる。〈この潮をのがせば我の真実はもどりはしまい吹雪く街角〉。翌年、69歳で病死した。親族が引き継いだ裁判史上初の死後再審で、無罪を勝ち取ったのは、それから6年後。事件発生から32年がたっていた。判決の日、かつて検察にうその自白をさせられた元少年が、本紙にこう語っている。「よかった。でも長すぎた」

福岡高裁宮崎支部が再審開始を認める決定をした大崎事件は、冨士さんが亡くなったのと同じ79年に、鹿児島県で起きた。男性を絞殺し、遺体を遺棄したとして、義姉の原口アヤ子さんらが殺人罪などに問われた。

有罪の根拠となった元夫や親族の自白を、高裁は「信用できない」と退けた。被害者の男性が事故死だった可能性も指摘している。そうなれば事件ですらなかったわけだ。

ラジオ商事件から随分たつけれど、ここでも自白頼みの捜査が多くの人を傷つけ不幸にした。共犯とされた元夫は既に死亡しており、原口さんも90歳。〈この潮をのがせば〉の年齢になっている。開始決定は、これで3度目で、一日も早く再審を実現すべきだ。

原口さんは一貫して関与を否認し、〈我の真実〉を叫び続け40年近くになる。権力の都合の良い筋書きに翻弄（ほんろう）された後半生である。

（2018・3・14）

命ある限り希望はある

宇宙の深淵（しんえん）には届きそうもないけれど、一つだけ疑いのない事実を知っている。人は必ず死ぬのである。われもまた、誕生の瞬間から余命を生きている。

あすになるか、百年先か。違いは手にする時間だけ。迎える結果は同じとはいえ、その差は天と地ほどある。英国の物理学者スティーブン・ホーキング博士が筋萎縮性側索硬化症（ALS）を発症し、余命2年の宣告を受けたのは1963年、21歳の時。

徐々に全身が動かなくなり、声も失う難病である。根本的な治療法はまだ確立されておらず、県内でも75人以上が闘病中だ。患者を襲う絶望感の大きさは、想像をはるかに超える。が、天才学者は宇宙の真理を追って学究生活にいそしんだ。

光さえのみこむブラックホールも、いずれエネルギーを失って消えるとする「ブラックホール蒸発」理論を提唱。アインシュタイン以後、最高の理論物理学者といわれ、尊敬を集め続けた。

14日、76年の生涯を閉じたホーキング氏の伝記映画「博士と彼女のセオリー」にこんなせりふがある。「いかに不運な人生でもやれることはある。命ある限り、希望はあります」

日本ALS協会相談役の長尾義明さん(70)＝板野町＝から以前、同じ信念を聞いた。偶然の一致というのでもない。残された時間と真剣に向き合った人が到達する真理なのだろう。

（2018・3・17）

2018年度

この年度の出来事

- 板東俘虜収容所での「第九」アジア初演から100年（6月）
- 西日本で豪雨災害。三好市でも土砂崩れが多発し住民孤立（7月）
- オウム真理教事件、松本智津夫元死刑囚ら13人死刑執行（7月）
- 徳島市の阿波踊り、総踊り中止巡り混乱（8月）
- 仙谷由人元官房長官が死去（10月）
- 日産自動車のカルロス・ゴーン会長逮捕（11月）

盲導犬「ディア」

野球の四国アイランドリーグｐｌｕｓ・徳島インディゴソックスの開幕戦。七回、スタンドから一斉にジェット風船が放たれた。盲導犬「ディア」は雄のラブラドール、３歳。このときばかりは顔を上げ、夜空に飛び交う青い風船を目で追った。

徳島市のマッサージ師・鶴野克子さんの相棒である。チームの帽子をかぶり、シャツを着て、夫妻と一緒に県内外、ほとんどの試合に顔を出す。鶴野さんが利用する3代目の盲導犬だ。「先の2頭は途中で退屈するのか、帰らないの、とそわそわしていたけれど、この子は試合終了まで足元でおとなしくしていられる」。ところが褒めてもらったそばから、床にこぼれた串焼きの肉片を拾い食いし、しかられていた。まだ駆け出しである。

白石静生監督の時代からだから、インディゴを追い掛けて10年になる。「行け行け行け」。鶴野夫妻のひときわ大きな声援をファンなら一度は耳にしているはず。

「通い詰めるようになったのは偶然、選手の親と知り合いになってから」。障害者に優しくない球場が多い。でも、来れば新しい出会いがあり、興奮がある。

敗れはしたが、1点差の好ゲームだった。「今季も面白い試合をたくさん見たい。プロに行く子も」と鶴野さん。ディアはといえば、「今、仕事中」とでも言いたげに、すまして前を向いていた。

（２０１８・４・３）

女人禁制

野見宿禰を始祖とする古代以来の歴史の中で、相撲はたびたび様式を変えてきた。女人禁制の「土俵」が登場するのは、歴史の長さからすると最近のことだ。

それまでは「人方屋」という力士が取り囲む人垣の中でとっていた。そこへ押し倒すと勝ちとなる。だが、負傷者が続出し、けんかの種ともなった。これでは興行にならない、と俵に置き換えたのが江戸時代。

女人禁制は大相撲の土俵に限らない。明治時代までは観戦すら認めていなかった。西郷隆盛らの助力で禁止令は回避したものの、文明開化に反する「野蛮な裸踊り」と政府に目を付けられ、人気は一時衰えた。その回復策もあって女性に門戸を開いたのである。長年のしきたりと言いながら、ご都合主義的なところがある。

「女性は土俵から下りてください」との館内放送が批判の的となっている。京都府舞鶴市での春巡業で、女性はあいさつ中に倒れた市長に、応急処置を施している最中だった。

普通の感覚では、どうかしている。ただ「しきたり」とは本来、不合理なものである。行司は素直に従ったまでで、「動転して」呼び掛けたとする日本相撲協会の八角理事長の釈明はむしろ不自然に聞こえる。

「不適切な対応でした」と謝罪するのであれば、その程度の覚悟の「しきたり」は、この際、取っ払ってしまった方がいい。

（2018・4・6）

英知と良心と勇気と

淡路島は春、百花咲き乱れる季節である。島で生まれ、晩年を過ごした江戸時代の豪商、高田屋嘉兵衛にとっても心華やぐ時季だっただろう。

小説「菜の花の沖」でその足跡を追った司馬遼太郎さんが評している。人の偉さを英知と良心と勇気で測れば、江戸時代で最も偉い人、「いま生きていても、世界のどんな舞台でも通用できる人」。

そんな大人物をつかまえて、了見の狭い話になるが、淡路島は元々、蜂須賀家の所領だ。維新で失われた徳島の北方領土じゃないか、といって今更どうなるものでもないけれど。ともかく嘉兵衛は、徳島藩も士分にとりたてた郷土の先輩である。

水夫から身を起こし、函館に拠点を構え、蝦夷地交易で財をなす。幕府の命を受けて択捉島への航路を開き、漁場も開拓した。

人間が試されたのは1811年に起きたゴローニン事件。列強の来航で日ロ関係も緊張する中、日本側は国後島でロシア艦の艦長を捕らえた。その報復で翌年、ロシア側に連行された嘉兵衛は、こんこんと理を説いて両国の仲介役となり、一触即発の事態を収拾する。

嘉兵衛が愛した菜の花の咲く洲本市五色町都志。「ウェルネスパーク五色」の顕彰館に掲示されている。「日本にはあらゆる意味で人間という崇高な名で呼ぶにふさわしい人物がいる」。当時のロシア側の見立てである。

(2018・4・8)

塩田ランナー

敗戦から間もない1951年、米ボストン・マラソンに、初めて日本が代表を送ったと19日付の当欄で書いた。この大会、徳島人なら忘れずにおきたい歴史がある。初の代表の1人は鳴門市の拝郷(はいごう)弘美さんだった。

当時、市の周辺に広がっていた入り浜式塩田で働いていた。「公務員ランナー」に倣えば「塩田ランナー」である。元徳島陸協会長の森脇謙一さんは「塩作りの重労働で鍛えた、胸を張ったフォームが美しかった」と回想する。

結果は2時間42分23秒で9位。トップから15分ほど遅れた。事情がある。派遣直前の試走会で、飛び出してきた人を避けた拍子に右足首を痛め、骨にひびが入った。激痛をこらえてレースに臨んだのである。

国家公務員の初任給が5千円余りの時代に、渡米には60万円の自己負担が求められ、県民挙げての募金でしのいだ。期待に応えたかった。ゴール後、気絶し病院へ運ばれた。

同年の金栗賞朝日（後の福岡国際）で優勝するも燃え尽き、以降は市職員として裏方に徹する。2007年、78歳で亡くなった。

生前、なぜ走るのかと問われ、偉ぶることなくこう答えたのを、森脇さんはよく覚えている。「完走した時の気分は何とも言えんぞ」。脳裏をかすめたのはボストンの街並みか。鳴門大塚スポーツパークの走者の像は、拝郷さんがモデルといわれる。

（2018・4・22）

忖度

「忖度」が本紙に登場するのは2001年以降、16年までに55件しかない。それが17年に入ると1年間で172件に急増し、今年は5月末までで既に100件を超える（本紙データベース）。森友、加計問題のキーワードとして使われ始めたからだ。

元は〈他人の心中やその考えなどを推しはかること〉であって、善悪どちらにも偏らない中立的な言葉である。「日本国語大辞典」（小学館）は、福沢諭吉の「文明論之概略」から用例を引いている。

〈他人の心を忖度す可らざるは固より論を俟たず〉。人の心を推し量ることができないのは、もとより言うまでもないとある。それはそうであっても、そうもいかない場面があるようだ。

森友学園への国有地売却を巡る決裁文書の改ざんで、財務省がまとめた調査報告書は、安倍晋三首相が夫妻の関与を全否定した国会答弁を契機に、学園側との交渉記録を廃棄したと認めた。

文書改ざんや廃棄は「国会質問を極力少なくするため」だそうである。首相の立場をおもんぱかった、これもお役人魂か。

事態の再発を防ぐには、いまだにあいまいな事実の徹底的な検証が不可欠だ。「上役の顔色をうかがい、へつらう」。「忖度」に新たな意味が加わったのは確かだが、もとより言うまでもない。森友、加計問題を、それで終わらせるわけにはいかない。

（2018・6・5）

曽我ひとみさん

講演などで見せる沈痛な表情に、事件で負った心の傷は、相当に深いのだろうと想像していた。そうには違いないが、話してみれば、案外明るい。その強さの訳を問うと、迷わず言った。「家族のおかげです」

現在は故郷の佐渡で、老人ホームの介護員として働く曽我ひとみさん。北朝鮮に拉致されたのは19歳の時。母ミヨシさんは46歳だった。ちょうど40年になる。

「着くなり、肖像画を見せられた。知らないと言ったら、びっくりした様子だった。金日成など頭になく、北朝鮮にいるとは思いもよらなかったもの」。絶望的な状況の中で、最終的に結婚という選択をする。

一般国民よりましとはいうものの、生活は苦しかった。どれだけ古いのか、配給の米は灰色で、小石や虫が大量に混じっていた。工夫をしてもくさみが消えない。家族に思う存分食べさせられず、切なかった。

停電は日常茶飯事。凍える冬は、あるだけの防寒着を着込み、何足も靴下をはき、一つに固まって寝た。それでも家族がいたから、生きる気力を失わずにいられた。

帰国から16年。事態はもっと悪化しているはず。精神的に参っていた時、支えてくれた横田めぐみさん、そして世界に一人だけの母。「その日を信じ、必死に生きている拉致被害者を、一日も早く、一人でも多く救出してほしい」。願いは一つだ。

（2018・6・6）

久保修さん

久保修さん、57歳。脳性まひで手足に障害がある。20年近く前から、自分の体験を語る講演会を続けており、その数が千回を超えた、と13日付の本紙夕刊で読んだ。

養護学校を卒業し、神戸での職業訓練を終えて帰郷したのが19歳。運よく就職も決まり、自転車通勤を始めたのはいいが、地元の中学生からしつこく嫌がらせを受けた。歩き方やしゃべり方をからかわれたりするのはまだましで、囲まれ、自転車ごと引き倒されそうになったりも。

近所にいとこがいた。髪は染めてなかったが、かなりやんちゃな女子高生。話を聞いて猛烈に腹を立てた。「修ちゃんは手足が悪いだけで何が違うん」。次の日、嫌がらせがぴたっとやんだ。いとこが中学生に電話をかけて、すごんでみせたらしい。

もう何年の付き合いになるだろう。久保さんに会うたび、そんな話がぼろぼろと出てくる。つらかったことや支えてくれた人のこと。ひどい人はいくらでもいるけれど、負けないぐらい味方がいる。今はアメリカで暮らす、いとこのような。

妻も障害者。素直に育ってくれた息子がちょっと自慢だ。愛知で車の設計をしている。「1台買ったろか」と久保さん。即座に「無理」と息子。何でや、と聞くと国産最高級車の名を口にした。「なっ、買えるか」

障害があれば不便はある。でも、不幸ではない。

（2018・6・22）

平和ガイド

まだ81歳と聞けば惜しい。沖縄に根を張る元四国放送プロデューサー大島和典さんが、平和ガイドを引退した。

島へ渡ったのは２００４年。以来14年、平和学習の修学旅行生らを現場へ案内し、沖縄戦や基地問題を語り続けた。本土での講演も含め、計１０１４回に及ぶ。いつの間にか、ガイド仲間でも最高齢になっていた。

73年前、「鉄の暴風」と形容された砲弾の雨を逃れ、住民はガマと呼ばれる洞窟に潜んだ。穴の底の暗闇へ大島さんと降りたことがある。行き場を失った日本兵に住民が追い出されたガマも…、そう説明しつつ口調が変わった。「兵士の中に、父がいたかもしれない」

１９４５年６月23日、日本軍の組織的抵抗は終わった。父初夫さんが33歳で戦死したのは、その直前。あと数日生き延びていれば…。しかしそれまで、どうやって激しい弾雨をしのいでいたのか。体験者の証言に触れ、眠れない夜もあった。

島人の苦悩は戦後も続いている。米軍施政下、次々と造られた基地。絶えない事件事故。今度は日本政府が名護市辺野古の海をつぶして、新基地建設を強行しようとしている。

足腰を悪くした今も反対運動の現場に顔を出す。島の土になるまで、と思う。〝旧本土人〟の罪滅ぼしではない。「沖縄にいると、平和がどこへ向かっているか、よく分かる」。だからだ。

（２０１８・６・23）

半田そうめん

つるぎ町には江戸時代、吉野川水運の拠点となる小野浜港があった。行き来する船頭が、奈良の三輪から技術を伝えたのが半田そうめんの起源と、町の古い製麺業者から聞いたことがある。

「最初は、船頭らの自家用で、細くする技も、必要もなかったのと違いますか」。その人は、そうめんと呼ぶにはやや太く、腰のある半田の麺の秘密を、そう解説した。なるほど合点はいくが、細くする技術はいずれ身についたはずだ。どうして太いまま定着したのか。

江戸中期の特産品案内書「日本山海名物図会」は、そうめんの名産地として三輪を挙げつつ、阿波の品も劣らないと紹介している。昔から「やや太め」を支持する人がいたようである。

ここで船頭というキーワードを思い出してみる。三輪そうめんを器に泳がせれば、絹糸のように美しい。けれども汗して働く者には、少し頼りなくもある。食べ応えのある半田そうめんに需要があったのも道理、とは当方の胃袋からの推測である。

ささっとゆでて、冷水で洗い、氷を入れたガラスの器に放り込む。ネギとミョウガを刻んで、ショウガを添えて。ここはワサビだ、薬味はやはり、と異論もあろうが、ご随意に。

後は、つるるると勢いよく。天に「はやぶさ2」、地には半田そうめん出荷最盛期。〈ざぶ〳〵と索麺（さうめん）さます小桶（こおけ）かな〉村上鬼城。

（2018・6・28）

心を扱う仕事

孤児院で育ち、20世紀を代表するデザイナーに駆け上ったシャネルがこんなことを言っている。〈二十歳の顔は自然がくれたもの。五十歳の顔には、あなた自身の価値があらわれる〉「ココ・シャネルという生き方」（ＫＡＤＯＫＡＷＡ）

50歳になったわが顔を見て、いささかも照れずにいられる人は、どれほどいるだろう。少しゆがんでいないか、と鏡を責めてもどうにもならない。成功も失敗も、喜びも悲しみも染み込んで、人の顔はできていくものらしい。

俳優の加藤剛さんといえば、端正な顔立ちがまず目に浮かぶ。正義とか誠実といった言葉が何より似合った。テレビドラマ「大岡越前」の南町奉行・大岡忠相（ただすけ）は当たり役となり、人の情けを知る名裁きを30年にわたって続けた。

代表作の映画「砂の器」（野村芳太郎監督、１９７４年）は、かつて社会に存在した、すさまじい差別と偏見が底流にある物語。ハンセン病の父を持つピアニストが、因習にまみれた過去から逃れようと人を殺してしまう、難しい役柄を演じきった。

俳優は「人間の心を扱う仕事」と言う。役の生き様を体に呼び込み、舞台や撮影に臨んだ。人生の味わいは、むしろ悩みや苦しみの中にある。それが、あの端正な顔を彫り上げたのだろう。

深い哀（かな）しみを引き受けられる、そんな顔の役者が、また一人去った。

（２０１８・７・13）

藍色のハンカチ

飾り気のないアコースティックギターの断片を聞くだけで、音色の向こうに浮かび上がってくる情景がある。人がいる。ドラマのエンディングテーマなら、なおのこと。

徳島市で竹原ピストルさんの公演を聞いた。歌手、俳優として活躍中だが、知らない人がいるなら念のため。昨年末の紅白歌合戦で「よー、そこの若いの」と歌った、ひげ面のあの人である。徳島とは縁があって、十数回目のライブになるという。

「Ｆｏｒｅｖｅｒ　Ｙｏｕｎｇ」。ドラマ「バイプレイヤーズ」。勘のいい人ならもうお分かりだろう。竹原さんの歌の向こうに浮かんできたのは、亡くなった俳優大杉漣さんである。

ＦＯＲＥＶＥＲ　ＹＯＵＮＧ／あの頃の君にあって／ＦＯＲＥＶＥＲ　ＹＯＵＮＧ／今の君にないものなんてないさー。半生をぼちぼち振り返ったりもする年齢になった人間を、励ましてくれる歌ではあるけれど、この時ばかりは別の感慨がじわりと胸に広がった。

ないものなんてない、かもしれないが、二度と会えない人はいる。徳島でどうしてもやりたかった、と歌い始めた「藍色のハンカチ」は、お別れ会で配られた藍染のハンカチに、大杉さんへの思いを託す。

涙を拭こうとしたら、不思議なことに、なおさら涙が出る…。目を閉じて腹から振り絞るしわがれた声が、心の奥底までしみた。

（２０１８・７・16）

災害ボランティア

想像を超す暑さである。泥水を含んだ畳は見た目より重く、それが何枚もとなれば、男4人がかりでも運び出すのはかなりきつい。

西日本豪雨の被災地、岡山県倉敷市真備町でボランティアに参加した。人口は約2万3千人。町の約3割が水没、4千棟以上が浸水し50人が亡くなっている。

派遣された箭田（やた）地区の家並みは、うっすら茶色に染まっていた。ひっくり返ったままの車がある。道路沿いに使えなくなった家財道具が延々と。あまりに大量で収集が追い付いていない。

ようやく来てもらえた、と住人の男性。5人1組でタンスや冷蔵庫を戸外へ搬出した。ひょいと持ち上げようとした引き出しも衣類が水を含んで重い。泥は2階にも広がっていた。止まった時計が4時20分を指す。やりきれなさそうに男性。「71歳になって、わが家を失うとは」

活動は約2時間で、20分に10分を目安に休憩した。休み休みの作業に気が引けるが、倒れればかえって迷惑だ。猛暑の被災地では実際、熱中症が後を絶たない。

市災害ボランティアセンターによると、休日で2千人が支援に入っている。「それでも人手が足りず、手つかずの地域もある」。岡山、広島、愛媛。それほど遠くない所に、手助けを求める人がいる。高速道路の無料制度もあり、出掛ける前には地元の社会福祉協議会などへ相談を。

（2018・7・20）

人権学習

熊本県天草諸島の北西部、天草灘へ、ちょんと突き出した半島にある児童67人の苓北町立富岡小学校で、５年生の人権学習を参観させてもらった。講師は、水俣病患者支援施設「ほっとはうす」（水俣市）の４人。

水俣病が公式に確認されたのは１９５６年。その時点でチッソ工場のメチル水銀を含んだ排水が止まっていたら、病気にならなかったはず。けれども日本は経済成長を選んだ。ひどい差別と悔しい思い。50代の胎児性患者らが、来し方を振り返る。

ある患者の願いは、もう一度歩けるようになること。そして仲間の車いすを押してあげたい、と。人は苦しんだ分、人に優しくなれるもの。人って何が大事か伝えたい。

講演の終わりに、児童の代表が随分きちんとしたお礼のあいさつをした。「人間を守ることの大切さを改めて学びました」。本当かな、といじわるな質問がしたくなった。

あれこれ答えてくれたのは仁田心人君と福島湊人君。「つらい人がいたら助けたい」。確かに。「しゃべり方は、あまり変わらないんだ」と河本遥さん。症状にも軽重がある。そんな点にも気が付くよね。直接会って話をしたのは等身大の患者さん。

社会のひずみを引き受けさせられた水俣病。「命よりも生活の世の中だったんだ」。何度教科書を読んでも一度の体験学習にかなわない場合がある。

（２０１８・７・21）

チャットモンチー

1足す1足す1の答えが、いつも3になるわけじゃない。1と1と1が化学反応を起こし、5になり7になって、輝いて、若者たちの心をつかんだ。

徳島生まれ、徳島育ち、徳島弁を話す人気ロックバンド「チャットモンチー」が、徳島市で開いた「徳島こなそんそんフェス2018」で、最後のステージを終えた。交流のあるミュージシャンやお笑い芸人が花を添え、2日間で計約1万人のファンがバンドの「完結」を見届けた。

1と1。ボーカルとギターの橋本絵莉子さん、ベースの福岡晃子さんは城東高出身。もう一つの1、福岡さんと同じ鳴門教育大で学んだ元ドラマー、作家・作詞家の高橋久美子さんも駆け付けて、代表曲「シャングリラ」などを演奏した。「郷土出身」バンドらしく、フィナーレは阿波踊りの渦の中で。

激しい化学反応も、いつかは平衡状態になる。「チャットモンチーとしてやる音楽はやりきった」。だから、解散ではなく「完結」。

虹を超え、地平線を目指して走ってきたけれど、ここから先は、それぞれ別の車で、ということだろう。惜しいが、創作に携わる者にしか分からない潮時があり、選択がある。

「シャングリラ」は、英国の作家ヒルトンが「失われた地平線」に描いた理想郷。音楽の旅に果てはない。前を向いて進む彼女らを、変わらず応援したい。

（2018・7・25）

長寿

書けない時は書けないもので、テーマの一つも浮かばない。けれども時間ばかりはたつもので、取りあえず、ここは素直に書けないと書いてみる。

書けない時は歩き回るんだと言ったのは同僚だったか。考え事をするにはいいのだとか。そういえば哲学者アリストテレスも歩いたらしい。彼の開いた学園に通った弟子たちを総称し、逍遥(しょうよう)学派という。講義が、園内の回廊を散策しながら行われたことによる。

よわい数えて１１５。シルバーカーを押して老人ホームの廊下を歩き、自分で食事やトイレに行く。国内最高齢となった福岡市の田中カ子(かね)さんである。生まれは日露戦争の前年、１９０３年。

食欲旺盛、甘い物に目がない。缶入りカフェオレを日に3、4本飲むという。糖分の取り過ぎにならないか、とはお節介がすぎよう。趣味の習字や計算、日課のゲームに頭を使う。燃料がなければ。

田中さんは笑顔で答えたそうだ。「おいしい物を食べて勉強して、これ以上はありません。あと5年は頑張りたい」。ちなみに男性の最高齢は北海道の野中正造さんで１１３歳。世界最高齢でもある。できれば、あやかりたい。

アリストテレスの師のプラトンはこう言った。〈一番大切なことは単に生きることそのことではなくて、善(よ)く生きることである〉。できるだけ長く、と小欄は付け足しておく。

（２０１８・８・１）

あからさまな性差別

大学入試必携、あの「赤本」を出版している教学社が募集した「受験川柳」にあった。〈E判定逆転サヨナラ下克上〉。模試で散々な成績をとったのだろう。それでも歯を食いしばり、今日も机にしがみつく。

受験生の心情を考えたことがあるのか、この大学は。入試不正を巡って前理事長らが在宅起訴された東京医科大で、今度は女子受験者の得点を一律に減点していた疑いが浮上した。

女性は結婚や出産を機に職場を離れるケースが多いため、系列病院の医師不足を回避する目的から合格者を抑えたという。随分と身勝手な理屈である。女性医師が離れずに済む職場をどうつくるか。得点操作といった反則技を使う前に、やるべきことがあるはずだ。

2010年ごろに始まったらしいが、募集要項には一切示していない。示せるはずもない。うちでは女子は3割前後しかとりません、なんて今どき。あからさまな性差別である。

親ばか文科官僚の息子にはゲタを履かせ、女子の得点は1～2割削る。本年度の合格率は男子8・8％、女子2・9％。数字の裏にまじめな受験生の涙がある。

〈髪の毛と勉強時間のびていく〉。正念場の夏。髪型を気遣う時間も惜しいに違いない。〈「君の名は」あると信じる掲示板〉。入試は人生をも左右する。公平だと信じて頑張る受験生を裏切った罪は重い。

（2018・8・4）

西日本豪雨

泳げない。少しでも高く、と2階の窓枠につかまった。それでも、泥水は胸までせり上がってきた。「もうだめだと思った」。西日本豪雨で堤防が決壊し、町の3割近くが浸水した岡山県倉敷市真備町。中野秀子さん(70)が振り返る。

夫の真吾さん(71)は前夜から不在。勤務する総合公園で、夜を徹して避難者の世話をしていた。自宅にいたのは、秀子さんとペットのネコ1匹。心配する夫や娘から携帯に電話やメールが届いたが、やがてつながらなくなった。

夜が明けると一面、茶色の海。20軒ほどの住宅団地、取り残された人は少なくなかった。水にのまれかけて、助けを求めるお年寄りも。見かねた隣家の40代の男性が飛び込み、次々屋根に上げた。

隣近所で励まし合って救助を待った。水の中、首だけ出して5時間。もし反対側の、隣人が見えない窓際にいたら、気力がなえていたかもしれない。

3日後、自宅に戻ると、押し入れの奥の棚で愛猫が生きていた。喜びもつかの間、近くの平屋の住宅で、夫の知人が亡くなったことを知った。

真備に家を構えて45年。災害とは無縁と信じていた。いけない、と思った時には、もう身動きのできない状態だった。だから教訓として伝えたい。「誰かの指示を待っていたら遅い。とにかく早く避難することに尽きる」。豪雨から、きょうで1カ月。

(2018・8・6)

高校生の夏

立秋を過ぎたとはいえ、夏の甲子園。記念すべき第100回全国高校野球選手権大会、第4日のきょう、鳴門が第4試合に登場する。相手は前年優勝の強豪、埼玉の花咲徳栄。さて、勝機をどこに見いだすか、というところだが。

野球やサッカーばかりがスポーツじゃないぞと、読者の方からよくおしかりを受ける。だから、というわけではない。前回は記者も生まれていない1959年だそうだから、ぜひとも書き残しておかないと。文字通り、歴史的快挙である。

全国高校総合体育大会の陸上女子400メートル障害決勝で、徳島市立3年の大地彩央里(おおちさおり)さんが、今季日本高校最高記録を出して優勝した。インターハイの陸上トラック種目で徳島県の女子選手が優勝したのは、菅生泰子さん(阿波)以来、59年ぶり。

前日の準決勝で、自らが持つ県記録を1秒近くも更新し、決勝ではそれをさらに上回った。爆発的な成長力は10代の特権。「言葉で言い表せないくらいうれしい」との談話もさわやかだった。

球技に陸上、体操に格闘技、文化部に帰宅部、恋に受験勉強も。高校生は今、この夏だけのとっておきの汗を流しているのだろう。

谷川俊太郎さんの詩の一節が浮かぶ。〈生きているということ/いま生きているということ/泣けるということ/笑えるということ〉。みんな違って、みんないい。

(2018・8・8)

長崎原爆（上）

爆心地から約８００㍍の防空壕（ごう）の奥にいた。「ぴかっと光った途端、爆風が入ってきて、壁にたたきつけられたのよ」。長崎市油木町の下平作江さん(83)が語る、その時。

長く気を失っていた。目覚めて慌てた。「じいちゃん、目の玉がぶら下がっとるよ」。「何ともなか。周りを見てみろ」。熱線に焼かれた人が大勢いた。多くは息をしていなかった。「助けて」と誰かが叫ぶ。国民学校５年生の夏。

朝から空襲警報が、発令されては解除されていた。壕を出て行く人も少なくなかったが、下平さん姉妹はとどまった。じっとしていろよ、と医大生の兄にきつく言われていたからだ。「妹と、『せからしかね（うるさいね）』と愚痴をこぼしてたんだけど」。それが幸いした。

国防婦人会の役員で、空襲に備えて家に残った母と姉は即死した。兄は爆心地に近い長崎医大で被爆。「しっかり勉強しろよ」。妹らと再会し程なく息を引き取った。

そんな体験を、長崎市の原爆資料館で聞いた。キノコ雲の映像を見詰めて、「あの下にいたのよね。熱線が降り注いだから、みんな黒焦げになって。原爆は死ぬ時でさえ、人間らしく死なせてくれないのよ」。

毎日、原爆が投下された午前11時２分に手を合わせる。「いまだに、どこで亡くなったか分からない人がいるからね」。きょう、長崎原爆の日。


（２０１８・８・９）

長崎原爆（下）

崖に掘られた防空壕の一番奥にいて、熱線は浴びずに済んだのだけれど…。きのうに続いて、長崎市油木町、下平作江さん（83）の話に耳を傾ける。

１９４５年8月15日、日本の戦争は終わった。だが、下平さん姉妹の戦争はまだ終わらなかった。原爆はなおも2人につきまとう。放射線の影響で、やがて髪の毛が抜けた。鼻血が止まらない。

「妹のおなかにできた傷が、いつまでたっても治らないのよ。『汚かやないか。ウジをぽろぽろ落としてから』って、ののしられてね」。学校ではひどくいじめられた。

勝ち気な下平さんは言い返すことができた。「原爆だもの。仕方がないやない」。しかし、妹は違った。体調が優れないこともあったのだろう。「一緒に死んで」と、何度も懇願された。「原爆と貧困に負けたのね」。10代の終わり、妹は一人で列車に飛び込んだ。

悲劇を繰り返してほしくない。修学旅行生らに体験を語るようになった。原爆資料館で、米国の生徒に反論されたことがある。「私たちの国が、こんなことをするはずがない」。事実を伝えるのが、いかに大切か、と思う。

苦しむ人がいない、人間が人間らしく生きられる。平和とはそういうものだ。「そのためには人の痛みが分かる心を持つこと、互いに手をつなぐこと」。核兵器が必要という人のいる限り、叫び続ける。

（２０１８・８・10）

愛する者の死

癒やされることのない悲しみがある。尽きることのない涙も。阪神大震災で大学生の息子を失った両親の話を聞きながら、そう思った。震災から6年後のことだ。

大学生死亡の記事を書いた。もう6年もたつ、そんな感慨も抱えての再訪だった。今更、話すことはない、と断られても仕方ない。半ば諦めつつ玄関の戸を開けた。案に反して居間に招き入れられた。両親は後になって明かしてくれた。「命を大切に考えてくれる人が、一人でも増えればと思ってね」

話し始めて、すぐに気付いた。2人の心はまだ、あの時のまま。涙を浮かべ、胸の内を語ってくれた。

現実は現実として受け止めなければいけない。分かってはいるけれど、どうしても息子の死が受け入れられない。6年では、とても足りない。「自分を納得させようと、生涯かけて努力するんだわ、きっと」と母。

鳴門市の徳島自動車道で停車中のマイクロバスに大型トラックが追突し、高校生とバス運転手が亡くなった事故から1年がたつ。遺族が報道機関に寄せてくれた手記を読み、胸が痛んだ。「今も気持ちの整理はできないままですが、とにかく事故はなくなってほしい」「あの時のことを思い出さない日は1日もありません」

愛する者の不在を埋めるのは、いかに難しいことか。何ものにも代えられない。それが命だ。

（2018・8・29）

仙谷さん

強気の政治家の、別の顔を見たことがある。2002年、仙谷由人元衆院議員が56歳の時だ。この年の1月、仙谷さんは、がんで胃の全摘出手術を受け、4月に政界へ復帰したばかり。大病を経験した政治家として、何を思う。事務所でそんな話を聞かせてもらった。

悪いことばかりじゃない。過食が改まり、成人病の境界領域だった血液検査の数値が良くなった、と大声で笑った。仙谷節全開とはいかないまでも、冗舌だった。胃がない分、食事は1日5回少しずつ。こんなのでもいいんだよ、と小ぶりのようかんにかぶりついた。

再発を恐れても仕方がない、と威勢はいいが、強がりにも聞こえた。「そうそう、あの人はどうしてる」。宣告された余命を超え、前向きに生きる胃がん患者を紹介した、1年近く前の筆者の記事を覚えていたらしい。

ためらいつつ事実を伝えると、仙谷さんは硬直した。しばらく沈黙した後、命をいとおしむように、幾分声を落として語った。豊かさってのは経済成長率とは別の所にあるよね、世界はこのままでいいはずがない。民主党政権誕生、7年前のことである。

官房長官時代はけなされる方が多かった。それでも仙谷流を貫いたのは、自らの命と向き合った経験が、多少なりとも影響しているかもしれない。まだ何事かをなせた72歳。その若さを惜しむ。

（2018・10・17）

ギムレットってさあ

「ギムレットってさあ」。気負って切り出したのにバーの主人、気が利かない。「フィリップ・マーロウやろ」。おいおい、それは今晩の俺のせりふだぜ。

ギムレットはジンとライムジュースで作るカクテルだ。「ライムはローズ社だよね」と訳知り顔で付け加えると、これもいけない。「あれね、今の時代、甘すぎて使えない」。ギムレットには、きりという意味もある。主人、やたら鋭い。

タフでなければ生きていけない。優しくなければ生きている資格がない――。米作家チャンドラーが世に送った私立探偵マーロウは、こんなことをさらりと言う男である。よく知られた名言だが、清水俊二さんや村上春樹さんの訳なら実のところ、もう少しあっさりしている。

ハードボイルドになり損ねたこの夜は、東京で暮らす同級生を囲んでの一杯。音楽業界で活躍する彼は、いつも新鮮な話題を提供してくれる。当方と違って、しゃれたせりふが板に付いている。

でも同級生とは不思議だ。業界で一目置かれていても、帰ってくれれば仲間の一人。教育に身を置く者、インフラを支える者、福祉に生きる者、孫ができて本当のばあちゃんになった者、そうそうバーの主人も。皆同等だ。

さまざまあって今、現在。帰り道に一度、声に出さず叫んだ。「これでいいのだ」。全てを肯定したくなる夜がある。

（2018・10・18）

竜ケ岳

金竜、昇竜、登り竜の三つの断崖が天をつく。「東洋一」との触れ込みは、いささかオーバーではあるにせよ、見ておくべき風景の一つには違いない。三好市池田町の紅葉の名所、竜ケ岳を訪ねた。

谷底から立ち上がってきた高さ数百メートルの絶壁が、約4キロにわたって続く。まだ色付いておらず、見頃には早かった。ここより標高のある剣山も、ようよう見ノ越辺りまでだったから、もとより覚悟の上。

昔の趣味人は言った。月は満月を、花は満開だけを楽しむものだろうか。雨に対して月を恋い、つぼみに花を思うのもまた楽しい。それに倣えば紅葉も、鮮やかな朱色を求めるばかりではない。高さ約950メートルの緑のついたてが、錦をまとう姿を想像してみた。

仰ぎ見て、なるほど想像できなくもないが、結論から言えば、そこは俗人。やはり、にぎやかな方がいい。全山が赤や黄に染まれば、それは見事だとか。

ただ、道は細く、車をUターンさせる場所に困る。県外にまで知られた名水も湧いており、見頃になっての週末は相当大変だろう。景色を横切る電線が少々うるさいのも難点だ。

三好市観光課によると、シーズンは11月に入ってから。井川町の腕山を経由する道もあるが、オフロードバイクでもなければ、お勧めしない。松尾川温泉の脇を通り、帰りは温泉でほっこりするのが常道だ。

（2018・10・24）

ルージュの伝言

「あの人のママ」と、うちの「おかん」が、母親という共通項で結ばれるとは到底思えなかった。1970年代。東京は限りなく東京で、地方は限りなく地方だった。母を「ママ」と呼ぶしゃれた子どもは、少なくとも友人にはいなかった。

ラジオから流れる松任谷由実さんの「ルージュの伝言」を聞いて、別の世界とは本当にあるものなんだなあと、いたく感心した記憶がある。そもそもルージュって何だ?だった。

浮気な夫に怒り、妻が夫の実家に乗り込む。曲調が軽快だから思いもかけなかったが、後年、歌詞の意味が分かるようになれば、相当な修羅場である。演歌なら命のやりとりすらありそうだ。「しかってもらうわ」で済んだのか「マイ・ダーリン」。

「高い音楽性と同時代の女性心理を巧みにすくい上げた歌詞は世代を超えて広く長く愛され、日本人の新たな心象風景をつくり上げた」。優れた文化活動に贈られる菊池寛賞に選ばれた松任谷さんの受賞理由である。

連れ合いに従って先日、広島でのライブに出掛けた。場違い、でも始まれば耳にしたことがある曲ばかり。しゃれた恋とは縁遠かったが、ともかくも、同じ時代を歩いてきたのだった。

デビューから45年。アイデアはまだまだ尽きないという。これからも見たことのない風景に、聞く者をいざなってくれるのだろう。

(2018・10・26)

忠臣蔵

吉良邸襲撃の前日、元禄15（1702）年12月13日、大石内蔵助（くらのすけ）は親友の三尾豁悟（みおかつご）に心中を記す書状を送った。その現物がおよそ60年ぶりに公開される。あすから徳島城博物館で開かれる特別展「討入りとその周辺　赤穂義士と徳島藩」の目玉だ。

〈志うすきものどもは跡にのこり　親切の者ども四十八人　妻子親類、後難をかえりみず…〉。志ある者48人は、後に妻子らに難が及ぼうとも、討ち入りを決行する―。文面からは大石の決意がまざまざと浮かぶ。

忠臣蔵なら四十七士。文をしたためた後、毛利小平太が脱落している。それにしても、大石が最後に頼りにした三尾は、魅力的な人物だ。

父は徳島藩の重鎮。母の実家のある滋賀・大津で育ち、没した。大石が京都・山科で計画を温めていたころ、懇意にしたようである。身分は浪人だが、藩から厚く遇され、金はあった。浪士に資金を提供していた可能性もある。

主君の無念を晴らし、四十七士は英雄となった。人気にあやかろうとする者が数知れない中、三尾は終生、大石との関係を語らなかった。死地に赴く者が頼むに足りる、誠実な人柄だったのだろう。

博物館によると、これまで書状の存在はあやふやで、二人の友情に光が当たることはなかった。文中には「阿州」の2字もある。赤穂事件と徳島とのつながりは、意外に深い。

（2018・11・2）

民主主義

民主主義は最悪の政治形態だ――。そう言ったのは英国の政治家チャーチルである。これには続きがある。「これまで試みられた、あらゆる政治形態を除いて」。不都合はあっても、最もましではないか、と。

一人一人顔も違えば考えも違う。手間暇かけて妥協点を見つける。これが民主主義の基本だ。だから甚だ効率が悪い。我慢を強いられることも、たびたびだ。

その効率の悪さを、熱狂のうちに乗り越える。それがトランプ米大統領の政治手法である。対立する者を口汚くののしり、批判する者には「フェイク」のレッテルを貼る。米国第一を掲げ、支援者の歓心を買うために、なりふり構わない。

そんなリーダーに嫌気が差したか、中間選挙で国民は野党民主党に下院の過半数を与えた。ロシア疑惑を巡り、民主党は大統領の弾劾手続きに向けて動く可能性もある。政局が緊迫するのは必至だ。

「終わりの始まり」と喜ぶ有権者がいる。でも、どうか。今回の選挙がもう一つ明らかにしたのは、トランプ的なるものへの支持の根強さではないか。

自分さえ良ければいい。米国第一主義を焦げるまで煮詰めれば、残るのはこんな考えだろう。同様の風潮は世界に広がっている。対立はあって当然。それを踏まえ、一致点を探るのが民主主義である。米国はその常識を思い出すことができるのか。

（2018・11・8）

米取牛

出稼ぎ、およそ1カ月。働きづめに働いた牛たちは、降り積もった落ち葉を踏みしめて、わが家を目指した。阿波へ戻る道は、現在の高松市塩江町辺りから、にわかに傾斜を増す。疲労困憊し、峠を越せなかった牛がいた。

米のできなかった徳島県西部の山あいには1950年代ごろまで「米取牛」の風習があった。香川では「借耕牛」と呼ぶ。春秋の農繁期、農耕用の牛を讃岐平野の農家へ貸し出し、対価に米を得たのである。戦前は4千頭もが阿讃山脈を越えたそうだ。

帰路に倒れた牛の墓が、塩江町内の数カ所にある。その一つはやぶの中、楕円形の自然石に「牛ノ墓」と刻んであった。さして大きくないものの、きちんとした石工の仕事である。明治6(1873)年を筆頭に没年が三つ。

「1頭を何軒かで使ったから、さぞかし重労働だったでしょう。ようやくここまで来たのにね」と地元の里山案内人・楠明子さん。

後始末は付近の人がするのが習慣で、牛が背負って帰るはずの米が、その費用に充てられた。自分の葬式代を稼ぐため、追い使われたようなものである。埋葬された3頭がふびんでならなかった。

坂を上りつめ、県境の相栗峠を過ぎると視界が開け、遠く吉野川が望める。この風景を再び見ることができなかった牛たちも、徳島の近代をひたむきに支えてきたのである。

(2018・11・27)

バー平成

気が利くというのは、この商売をやっていく上で大切なことだろう。しかし、利きすぎるのはどうか。損をしたのも、たびたびではなかったか、と想像するのである。徳島市富田町で半世紀、女主人の仕切る名物バーが店を閉じる。

南洋桜の分厚い材でできた、濃褐色のカウンターが奥へ延びる。ただそれだけの小さな店である。きらびやかさとは縁遠いが、落ち着いたたたずまいと、女主人の人柄を愛した政治家、経済人は多い。

歴史は夜作られる。「お見えになった方は千人や二千人ではきかないわね」。次の国政候補の名が挙がったり、企業の人事が練られたり。時に生臭い情報も飛び交った。

熱い議論の跡がカウンターの所々に傷となって残る。「あの人はここ、あの人はあそこに座っていたわ」。入り口を飾る、店を模したドールハウスは、今も付き合いの続く初めての客からの贈り物だ。

いい大人なら、いい友の一人、いいバーの一軒ぐらい持っておくべきだと以前、きざな誰かが言っていた。〈君に勧む更(さら)に尽くせ一杯の酒〉。ふいに高校で習った漢詩の一節がよみがえり、古い友人を送る心境で閉店の理由を尋ねた。

「時代とともに去る。私の美学よ」。その気持ちを尊重するなら、店の名を明かすこともない。当欄には、バー平成、とでもとどめておこう。２０１８年、年の瀬。

（２０１８・12・30）

とくし丸

移動スーパー自体は、昔からあって、主には中山間地の生活を支えてきた。これに時代の風を吹き込んだのが「とくし丸」だ。4月から県内全市町村をカバーする。

買い物難民は山深い地域だけでなく都市部にも及んでいる。要は社会が年老いたのだが、だから自然に販売網も拡大するというほど、商売は甘くない。そもそも店に来られない人が顧客なのである。

元徳島市議で創業メンバーの村上稔さんが、自著「歩く民主主義」（緑風出版）で秘密を明かしている。吉野川第十堰住民投票に深く関わった。「この経験が生きた」と村上さんは言う。

一軒一軒、投票の意義を説いて回ったのと同様に、地をはうように顧客開拓に歩いた。その数は、2012年の創業から5万軒に上る。対面して得られる情報の中にこそ、ビジネスの、そして生きるヒントがある。現場で実感した。

やがて人間の仕事の多くを奪うとされる人工知能（AI）は、大量の情報をさばくのにはたけている。しかし、おばあちゃん一人一人の暮らしのにおいまでは、かぎとれない。

買い物も何もネットで済む、便利ではあるが、においも手触りもない世界。効率は上がっても、社会は元気を失いつつあるように見える。ならば逆を行こう。人は〈自分で感じ、決め、自由に生きる時、元気になる。以上〉（同書）。同感だ。

（2019・1・5）

五百羅漢

初詣に出掛けた板野町の四国霊場5番札所・地蔵寺で、どうしても気になって正月早々、岡本慈勝住職を訪ねた。奥の院に四国で唯一の五百羅漢をまつる。

羅漢とは、修行を完成し悟りを開いた聖者のことで、五百羅漢は釈迦(しゃか)の入寂後、経典をまとめるために集まった500人の弟子とされる。「とはいうものの、うちにあるのは187体」と住職。

大正年間に焼失し、お堂を再興したのが7年後の1922年。何百体もの仏像が数年でそろうはずはなく、お堂の完成後も毎年、造り続けていたそうだ。寄せ木造りで、富山の職人、北本祐三郎らの手による。

それも戦争で中断した。「きっと帰るから」と出征した職人たちは戦死。戦後の農地解放で所有地を失い、寺の資金も絶えた。再開は、と聞くと住職、俗なことを言って、がはは、と笑う。「宝くじに当たったら。でも、あかんねえ」

北本らが残したのは、喜怒哀楽がもろに出た人間味あふれる仏像群だ。両手でぱっくりと腹を開けた像もある。知りたかったのは、その由来。「さあね、きれいな心、腹の内を見てくれ、ということなんでしょうな」。仏典は難しい、と言っては、またがはは。

40年以上、教誨師(きょうかいし)を務めている。ここはきりっと「徳島刑務所が自分を育ててくれた」。この腹蔵なき語り口に、大勢の人が救われたのだろう。

(2019・1・6)

はるかのひまわり

〈贈られしひまはりの種は生え揃ひ葉を広げゆく初夏の光に〉。平成最後となる「歌会始の儀」で、天皇陛下が披露された歌である。宮内庁によると、4月末に退位される陛下と、皇后さまの出席は、これが最後となり、今後この儀式に歌を寄せる機会はない見通しだ。

最後の歌会始に、陛下は阪神大震災を詠んだ。題材となったヒマワリは2005年の震災10周年追悼式典の際、遺族代表の少女から贈られ、皇居で毎年育てている。成長を見守る両陛下の温かな表情が、目に浮かぶよう。

「はるかのひまわり」と言う。震災から半年後、亡くなった神戸市の加藤はるかさん＝当時(11)＝の自宅跡に花を咲かせた。鎮魂と復興の象徴となり、その種を植える運動が広がった。

平成の31年。災害多き時代だった。空前の巨大津波が、命と生活を奪った東日本大震災。伴う原発事故は東北の山河に深い傷を残し、影響は今も続く。

さらに豪雨や火山の噴火も各地で起きた。戦争という人災には直接巻き込まれなかったものの、自然を封じ込められると高をくくった人間を戒めるような、想定外の天災が相次いだ。

〈光てふ名を持つ男の人生を千年のちの生徒に語る〉（歌会始、秋山美恵子さん）。はるかという名の少女の人生も千年のちに伝えなければ。この平成も語り継ぐべきことの多い時代である。

（2019・1・20）

心愛さん

千葉県野田市立小4年、栗原心愛さん。私は大人の一人として、謝らなければなりません。周りの大人がしっかりしていれば、あなたは今も元気でいられたはずなのです。

沖縄県糸満市にいたころ、友達に打ち明けましたね。「お母さんがいないと、お父さんにパーでたたかれ、とっても痛い」。体には多くの古いあざがありました。お父さんをかばって「パー」と言ったのですか。

引っ越してからは、さらにひどくなったのですね。児童相談所の人はこう聞いたと話します。「父に背中や首をたたかれ、顔をグーで殴られた」。弱い者への暴力は、誰かが本気で止めないと、どんどん激しくなります。

一昨年11月の学校アンケートには、思い切って「お父さんにぼう力を受けています」と回答しましたね。叫びは確かに届きました。一時は児相に保護され、これで助かる、とほっとしたのではないですか。

でも、そうはなりませんでした。怖いからと市教委の人が、お父さんに回答のコピーを渡してしまったのです。火に油を注ぐようなものです。1月24日、風呂場で冷水を浴びせられた10歳のあなた。どれほど悲しかっただろうかと想像します。

大人に裏切られ同じような目に遭った子は、これまでにも大勢います。心愛さん、あなたが許せないのはきっと、お父さんだけではないのでしょう。

（2019・2・1）

子どもの権利

子どもには食べる権利がある。この世に生まれたのは早死にしたり、虐待されたりするためではない。生まれてきたものが幸福に、安全に、健全に、成長発達すべきものであることは明らかだ―。

「子どもの権利」が一般には頭の隅にもなかった1924年、貧民救済に尽力した社会運動家・賀川豊彦はまさにその演題で講演をしている。「まず第一に」と生きる権利を挙げ、都合六つの権利を掲げた。

子どもには叱られる権利がある、とも指摘した。「叱る」とは悪を正し、不義を正すこと。感情を爆発させる「怒る」とは違う。悲しいことながら賀川の問題提起は今もって有効だ。「本当に『叱る』人は少なく、『怒る』人が多い」

県内でも、児童虐待が後を絶たない。徳島県警が昨年、虐待を受けた疑いがあるとして児童相談所に通告した18歳未満の子どもは322人（暫定値）で、前年より108人増えた。

これだけの数に上るのである。千葉県の栗原心愛(みあ)さんと同じ苦しみをこの瞬間にも味わっている子どもたちが、きっと私たちの周りにいる。耳を澄まそう。SOSを聞き逃さないように。

賀川が訴えたのはあと四つ。「子どもは遊ぶ権利がある。子どもは寝る権利がある。親に夫婦げんかをしないよう求める権利がある。禁酒を要求する権利がある」。異議を差し挟む余地はない。

（2019・2・9）

ぼくらはみんな生きている

歌手の沢知恵(ともえ)さんは、ハンセン病の元患者の支援を長く続けていることで知られる。過日、徳島市の児童養護施設「徳島児童ホーム」でこぢんまりとしたコンサートを開いた。ホームの子ども47人、近くの施設の高齢者も招待されて、聴衆の年齢は4歳～103歳。さあ、どうする。

アメージング・グレースのしっとりとした歌声で会場の心をつかんだ後は、さすが。リズミカルな自作曲、おどけた調子で童謡を。たちまち、歌う者と聞く者が混然一体となった空間をつくりあげてしまった。

曲の合間には詩人、塔和子さんとの思い出を手掛かりに、ハンセン病患者が背負わされた苦難の歴史を、具体的に分かりやすく語った。

ホーム園長の山﨑健二さんは、児童福祉に携わって39年になる。入所してくる子どもの状態は年々悪くなっているそうだ。家庭内暴力で心身に傷を負った子も増えている。コンサートを楽しんだのは、そうした子どもたちである。

最後の曲、促されもしないのに大声で歌い出した。聞きながら、一人一人の表情を目で追った。浮かんでくる物語に、ぎゅっと胸が締め付けられた。曲は「手のひらを太陽に」。〈ぼくらはみんな生きている／生きているから歌うんだ／ぼくらはみんな生きている／生きているからかなしいんだ／笑うんだ　愛するんだ〉。みんな、負けるな。

（2019・2・18）

2019年度

この年度の出来事

- 新天皇陛下が即位し、元号「平成」から「令和」へ（5月）
- 京都アニメーション放火殺人事件（7月）
- 消費税率8%から10%に引き上げ、軽減税率導入（10月）
- 英国が欧州連合（EU）離脱（1月）
- 新型コロナウイルスの世界的流行で東京五輪・パラ五輪1年延期決定（3月）

何もしてやれなかった

谷久米吉さんのことを思い出している。２００３年、小松島市の自宅で亡くなった。１１２歳。当時、男性で国内2番目の長寿者だった。その関係で生前、何度か話を聞いたことがある。最後に会った時だ。「裕福を望まず、無理をせず、自然に任せること。長生きはしようと思ってもできん」と、健康の秘訣(ひけつ)を語っているさなか、突然、「うっ」とおえつを漏らした。一瞬あって言葉をつないだ。「二人も死なせてしまうとは、情けないことです」

二人とは、日中戦争が始まった直後の１９３７年、中国大陸で戦死した長男と、太平洋戦争末期の45年、フィリピン・ルソン島でたおれた次男。半世紀以上も前のことなのに、悲しみは、繰り返しよみがえってくるのだという。

「何もしてやれなかった、やねこい（頼りない）、情けない親です」。戦争中に何ができただろうか。しかし二人を思い出すたび、自分を責めずにはいられなかった。

勝った負けたで済めばいいが、戦争は命の奪い合いだ。「子を奪われたわれわれの悲しみは、このまま消えてしまうのか」。日本人の記憶から、戦争が薄れゆくのを案じていた。

即位後朝見(ちょうけん)の儀での天皇陛下のお言葉に、「平和」の2字があった。そのことに心を砕いた上皇さまの思いを引き継がれる。時代は変わっても、忘れてはならない記憶がある。

（２０１９・５・２）

阿波藍

阿波藍の絶頂期は、意外な感じもするが、明治も後半。日露戦争の前年の36（1903）年、作付面積1万5千ヘクタール、葉藍生産2万2千トンと史上最高を記録している。

世界大百科事典（平凡社）によると、開国以来、インド藍の大量輸入が始まったが、それでもそれをしのぐだけの、旺盛な需要があったようである。だが、生産がピークに達したころ、化学染料がドイツからもたらされ、これには太刀打ちできなかった。

近代の技術によって、あっさりとなぎ倒された藍ではあるが、それまでの間、徳島にもたらした膨大な富は、ほかのどこにもない文化を育てずにはおかなかった。阿波踊りと人形浄瑠璃は疑いもなく藍の産物である。

地域の有形・無形の文化財をテーマでまとめ、魅力を発信する文化庁の「日本遺産」に、藍住町など県内9市町が申請した「藍のふるさと」が認定された。先に四国四県で選ばれた「四国遍路」と併せて、阿波藍を国内外にPRするチャンスだ。

藍作は、平安時代にもさかのぼるそうだ。東京五輪エンブレムの藍、ジャパンブルーの藍。私たちの先人は「日本の色」を育ててきたのである。

その盛衰は、徳島の歴史そのもの。近代以降の大量生産、大量消費には向かないが、だからこそ染め上げられるものもあろう。この機会に、まず足元の歴史を見直してみよう。

（2019・5・21）

ドイツ橋

板東俘虜（ふりょ）収容所の独兵捕虜が築いた鳴門市の大麻比古神社の石橋「ドイツ橋」が今夏、架橋100年を迎えるという。

質実剛健、隙のない美しさはいかにもドイツらしい。とまあ、そんな紋切り型の表現では語り尽くせない人生があったはず。石を運んだ人、組んだ人、橋を架けた捕虜一人一人のその後を想像しながら、林間のアーチ橋を眺めたことがある。

日独友好の証しともされるこの橋が架かったのが1919年。第1次大戦の講和条約「ベルサイユ条約」が結ばれた年だ。ドイツは海外植民地のほか、領土の10％を失い、軍備を制限され、天文学的な賠償金を科された。

ちょうど同じ年、一人の男がドイツ労働者党に入党している。ヒトラーである。後にナチスと呼ばれる党を率い、ベルサイユ体制打破を叫んで国民の憎悪をかきたて、政権を握った。

その間、わずか20年。39年には第2次大戦が勃発し、翌年、日独伊三国同盟が成立している。これも友好といえば友好だが、3国が連れだって向かった先は説明の必要もないだろう。かつての捕虜たちは、どんな思いで激動の日々を過ごしていたか。

1600万人もの戦死者を出した大戦が、どうして平和の母となり得なかったのだろう。美談で済まされることの多いドイツ橋。その前提となる戦争を、二度と忘れないための橋でもある。

（2019・5・28）

田辺聖子さん

新聞の字はかすんで見えないし、心なしか動作が緩慢になった気もするし、年を取るのはかなわんなあ、と常日頃は思っているところである。

年金も目減りしていくというし、退職したらどうなるの、とこれまた不安になる。でもまあ、悪いことばかりじゃないわいな。こんな本がある。田辺聖子さんの警句集『人生は、だましだまし』（角川文庫）。

名は体を表すというが、内容は表題そのまま。〈おっさんとおばはんになり生きやすし〉。田辺さんは一時、色紙にそう記していたという。見えっ張りの殻を脱ぎ捨てて、やりたいことをやり、言いたいことを言って、何がいかんねん。

おっしゃる通り。でも、人間はこの世の客なのだから、勝手気ままも許されない。〈元来、生きるに難きこの世を、生きやすく過ごすとしたら、その人は生きることのプロではないか〉

怒ると人生の貯金が減るから怒らない。我慢も必要なようである。無条件にプロになれるわけでない。「人間のプロ」になれるとすれば80年はかかるというのが田辺さんの見立てだ。

怒るのも仕事の一つの当方は当分、アマチュアで構わない。貯金のありがたみも、無駄遣いをして初めて分かるもの。ああでもない、こうでもないと、あくせくやるのもまた庶民と心得、ぼちぼち気楽に行きますわ。いいですかね、田辺さん。

（2019・6・11）

駆け落ち

親が決めた相手と結納を交わした祝宴の日。昼下がり、女性はこっそりと自宅を抜け出し、示し合わせていた男性と逃げた。「好きで好きでたまらんかったんよ。一緒になれるなら、どんな苦労も背負い込むつもりでね」

女性の家は四国の山中、地方の名家。男性はハンセン病の元患者だった。薄暗い納屋に潜んで半年。ようやく父親から許しが出たものの、病気に対して根強い差別のある土地柄で、男性の病気は町中に知られていた。

苦労は、それから始まった。半世紀以上も前のことである。嫌がらせのように、県庁の職員が家の消毒に来た。知人には縁を切られ、きょうだいの結婚は、破談になった。

結婚から11年目に子どもが生まれたが、娘と知った夫は「嫁のもらい手がない」と泣いた。学校に上がった娘は、同級生から付き合いを拒まれた。

「誰にも話せなかったのよ」と女性。初めて明かしてくれたのは2002年、ハンセン病国賠訴訟で元患者が勝訴した翌年だ。中学時代に父の病歴を知り、「結婚しない」と言い張っていた娘も良縁に恵まれた。孫も3人いる。

ハンセン病家族訴訟できのう、熊本地裁は国の責任を認め、賠償を命じた。家族も差別に苦しめられてきたのである。その苦労を思えば、当然だろう。女性のように過去を語れる人は少数派。多くは今も渦中にいる。

（2019・6・29）

博物館

約3千年前につくられた古代エジプトのツタンカーメン王の頭像がロンドンで競売に掛けられ、約470万ポンド（約6億4千万円）で落札されたという。目を見張る金額ではあるが、問題にしたいのは額ではない。

同じロンドンにある大英博物館は1759年に開館した。古今東西の考古資料や美術品、古文書などを集めた世界最大級の博物館だ。

所蔵品のうち、大憲章（マグナカルタ）や、古代エジプトのヒエログリフ（象形文字）の解読につながったロゼッタストーンは、つとに有名。名品の数々には感心するばかりだ。

だが、最も印象に残っているのは別にある。軍隊の野営地のような何段ものベッドに寝かされていた、数え切れないほどのミイラである。正当な売買で手に入れたものが、どれほどあるのだろうか、と薄暗い部屋で考えた。

きちんとした手続きを踏む現代と違って、近代以前の探検隊や調査団は、歴史の空白を埋めるのに大きな功績があったにせよ、持ち出された国の立場で見れば、古物の大窃盗団ともいえる。

頭像を巡り、業者は「捜査の対象となったことはない」と競売の正当性を主張するが、そうした事実を超えた問題があるのではないか。頭像に限らず、欧州諸国と国力に圧倒的な差があった時期に失った国の宝の返還を訴えるエジプトの主張も、また正当に思える。

（2019・7・9）

ファガスの森

神山か、上勝か、那賀町か。この辺り、剣山スーパー林道も町境を縫うように走るものだから、判然としない。レストハウス「ファガスの森高城」の手前だったから、美馬市には至っていないはず。

先の見えない曲り道、バイクでゆっくり進んでいたその先、道をふさぐように、ニホンジカが1頭、粛厳と立っていた。「おっ」と声が出た。シカも小さく「えっ」と言った（ような気がした）。

見合いながらしばらく、といっても恐らくは十数秒、時間が止まった。つややかな茶色の地に白い斑文がくっきりと。思い直したように体を翻して、シカは崖下の森に消えた。それは美しい、朝の風景だった。

「シカを見たよ。それにヘビを踏みそうになった」と、ひと休みしたファガスの森で。聞き手には、新しい顔があった。生井吉郎さん、57歳。埼玉県川越市から那賀町に越してきたばかり。

研究用の抗体を販売する外資系企業の日本法人で社長を務めていた。それでまた、どうして？「業績を上げるのに追われ続ける毎日。金もうけに疲れちゃって。旅の途中でここが気に入ってね」。早期退職し、田舎暮らしの修行中。

素朴な疑問が浮かんだ。東京一極集中がさらに進めば、いずれ地方は立ちゆかなくなる。中山間地など真っ先だ。そうなった時、疲れた都会人の、命を癒やす場所はどこか。

（2019・8・11）

浜太郎

終戦後の1950（昭和25）年というから、日本はいまだ食糧難の時代。日和佐中学の教師と生徒が、肉をとるため殺されたアカウミガメの死がいを、美波町の大浜海岸で見つけた。生徒たちは涙ながらに訴えたという。「ウミガメの保護を日本中に呼び掛けよう」

世界に先駆けて始まった調査、研究活動はアカウミガメの学名「カレッタ」をいただく今の日和佐うみがめ博物館へと続く。館の主でもある69歳の「浜太郎」は、この時、中学生らがふ化させた1匹だ。

カレッタは今夏、85年の開館以来、初めての人工産卵に成功した。浜太郎は一方の立役者である。この年齢にして、と驚くばかりだが、人間に比べて大人になるのが遅く、200年以上生きるともされるウミガメのこと、青春まっただ中なのかもしれない。

長年のプール暮らしで、雌を抱きとめる四肢の爪がすり減って、交尾できなかったらしい。カレッタの学芸員の発案で装着した、強化プラスチックの人工爪が奏功した。

その爪を見てやろうと、館に足を運んだ。プールで浜太郎を探すと、水底でじっと沈思黙考していた。少なくとも、そう見えた。

広いとは言えないプールで、これから何十年、観覧者を迎えるのだろう。地球の環境を傷つけてきた人間は変われるか。水底の哲学者は案外、そんなことを考えているのかも。

（2019・8・21）

絶対、死ぬな

アラビアの砂漠に、こんなことわざがあるそうだ。「生きていることが無意味だと分かったときは、死んでしまうか、旅にでも出ることだ」

どちらか、となれば、どうせいつか死ぬのだから急ぐことはない。ここは旅に出ちゃいましょう。外出を好まない？　ならば旅を一つの比喩と考えて、海よりも広い、それは空、空よりも広い、それは、という心の中を旅してみよう。

政府統計によると、18歳以下の自殺が最も多いのは、夏休み明けの9月1日。その前後も比較的多い。いじめの被害に悩む子は、また苦しい日々が始まるのか、と今、やりきれない気持ちでいっぱいだろう。想像すると当方も、胸がふさがる思いだ。

お勧めしたい。死にたいぐらい苦しいのなら、とっとと逃げちゃいな。大体、いじめる方がおかしいのである。そんな学校に行くことはない。ほんとだよ。

解決手段はいくらでもあるのだ。20歳にも満たない君たちが考えつかないほどに。ＬＩＮＥでもメールでも電話でも、数ある相談窓口で一度聞いてみればいい。どう生きていけばいいか。

人生、なるようになる。これは、頑張るな、と言っているわけじゃない。たまには回り道もいいじゃない。そっちが本道なのかもしれないよ。生きていることが、本当に無意味かどうか分かるまでは、生きてなきゃ。絶対、死ぬな。

（２０１９・８・29）

四宮生重郎さん

姿を目にするたび、久しく聞かなくなった言葉が浮かんだ。ダンディズム―。サングラスにハンチング帽といった風貌からか。いや違う。一挙一動に、そこはかとなくにじみだす生きざまに、感じさせるものがあった。阿波踊りの名手・四宮生重郎さんが亡くなった。

国境のない地図を手に旅する人だった。あくまで正調を基本に、あらゆるジャンルの音楽とリズムに身を委ね、表現してみせる、唯一無二の柔軟性。マイケル・ジャクソンの絶叫との競演に至っては、もはや合っているのか、いないのか。

そんなことなど、どうでもいい。見る者に、そう思わせるだけの説得力があった。踊りというものを、突き詰められるだけ突き詰めて、その奥底をさらった時、手にするひとかけら。四宮さんにとって、それは「楽しさ」だったのだろう。踊りへの愛は、観客をも幸せな気持ちにさせた。

気ままで、自由奔放に見えても、実際は精進の人である。「人間、いくつになっても日々勉強ですわ」。行き着く先は自分にも分からない。それでも前へ進む。

どんな偶然か、会社の引き出しに残っていた年賀状を手元に今、この原稿を書いている。練達の書で、こうしたためられていた。「純朴　生きる　男道」

その言葉通り、自分に真っ正直に生きた人。91年の生涯を、そう締めくくっていいはずだ。

（2019・9・16）

急傾斜地の畑で

剣山へ向かう、これも国道438号を、実際の時間はそうでもないのだが、慣れていないと気疲れのする道、まだだろうか、と思い始めた頃に現れるのが、名所「土釜」へ続く脇道。貞光川が、岩の中にのみこまれていくような美しい滝は必見だが、近くの「鳴滝」と合わせて、ここは帰りのお楽しみ。今日の目当ては、その先、つるぎ町貞光は猿飼集落。

世界農業遺産に選ばれた急傾斜地農法の代表的な畑が、この時季、観光農園として開放されている。ソバの花が見頃になったとの便りに誘われ、久しぶりに訪れた。

入り口のポスターに「非常に急斜面です（おむすびが転がるほど）」と書いてはあるが、表現は穏当過ぎるかも。白く愛らしい花も、歩きながら眺めるのは、まず無理だ。立ち止まって足場を確保するか、園主の西岡田治豈(はるき)・節子夫妻お手製のベンチに座り、じっくりと味わうか。

ここで生きてきた人々の心意気。入植以来150年、ずれ落ちる土を毎日毎日かき上げて、代々守ってきた土地。見下す貞光川、景色の奥へ連なる山々。苦労をいとわない訳は一目瞭然だ。

風景を遮るものがない。すなわち吹きさらし。先の台風でも風の道になり、ソバはいくらか倒れてしまった。「イベントのある28日までには、何とか立ち直ってくれるじゃろう」。夫78歳、妻71歳、意気軒高。

（2019・9・26）

グレタさん

胸に突き刺さる演説だった。「私たちは、あなたたちを注意深く見ている。それが私のメッセージだ」。スウェーデンの16歳、国連本部で開かれた「気候行動サミット」で、居並ぶ各国首脳らを沈黙させたグレタ・トゥンベリさん。

「あなたたち」を狭く解釈することはない。怒りの矛先は、われわれ大人に向けられている。温暖化の危機に目を閉ざし、お金のこと、永遠の経済成長という「おとぎ話」にうつつを抜かす。「よくもそんなことができたものだ」

忘れがちである。大人の無責任な行動が、子どもたち、そのまた子どもたちの未来を奪っていることを。たしなめられるまでもない。次の世代の幸せを保証する。それは大人の責任であるはずだ。

現実には逆のことが起きている。今さえ良ければいい、自分の国さえ良ければいい、行き着くところは、自分さえ良ければいい。1人の少女の訴えに呼応した抗議デモに、世界で数百万人が参加したのも、若者の危機感の表れだろう。

サミットでは、温室効果ガスの排出を2050年までに実質ゼロにする、との決意を77カ国が示した。恥ずかしながら日本は入っていない。

演説はこう締めくくられた。「全ての未来世代の目は、あなたたちに注がれている。私たちを失望させる選択をすれば、決して許さない」。事は環境問題に限るまい。（2019・9・27）

ハートランド

「自分の存在価値とは何か、体が不自由になって、しみじみ考えるようになったんよ」。長年、精神障害者支援に携わってきた山下安寿さんは今、進行性の重い病と闘っている。

病院職員として障害者と関わる中で、福祉の在り方に疑問を抱き、支援団体「ハートランドとくしま」（現社会福祉法人ハートランド）を設立。徳島市北島田に弁当店を開いたのが2000年。

つい20年ほど前のことなのに、「刃物を持たせて大丈夫なのか、というような、ひどい偏見があって。まあ、それが消えたとも言えないけれど」。北島田に落ち着くまでの曲折を振り返る。

困った時、手を差し伸べてくれたのは、行政でも企業でもない、決まって普通の人だった。何度も断られた末、山下さんの人柄を見込んだ故・岸登さんが活動拠点に、と空き店舗を提供してくれた。夜明け前に市場で働き、不足資金を稼いだ。

苦労を数えればきりがないが、協力者も次々現れた。籠屋町商店街に喫茶店「あっぷる」を開き、新町川ボードウオークには菓子工房。誰にだって、生きる場が必要だ。「障害のある人が、この街で暮らしていくということ」。それを当たり前の景色に。

30日、初めて借り物ではない自前の店を、南庄町にオープンさせる。さまざまな人の思いが厚い層をなす新拠点は、こんなふうにしてできた。

（2019・10・25）

当事者の重み

「不」の一字は、何もかも台無しにしてしまう、いじわるな接頭語である。日本国語大辞典は、こんな言葉を例示している。「不確か」「不適当」「不健康」「不自由」

「可能」の上に乗っかれば、「不可能」。「できる」が、たちまち「できない」に転じてしまう。この一字に、どれほど多くの人が悔しい思いをしてきたか。

れいわ新選組の木村英子参院議員が、重い障害のある当事者として初めて国会で質問した。筋萎縮性側索硬化症を患う舩後靖彦議員はきょう、初質疑に臨む。代議制なのだから、無理せず誰かに代弁してもらえばいい。そんな無邪気な批判もあった中での、本格的な議員活動のスタートである。

当事者でなければ分からない苦労がある。車いすを使う友人は以前、こう嘆いた。「トイレの心配に、人生のどれだけ多くの時間を費やしてきたか」。車いすの高さでなければ見えない景色がある。

「障害者が地域で生活するには、さまざまなバリアーがある」。木村議員は、災害時の避難所となる学校などのバリアフリー化を訴えた。政府全体で対応を進めるとの趣旨の答弁は、当事者の声の重みが引き出したのだろう。

「不」の中には「できるわけがない」との偏見が、当たり前の顔をして居座っている。それを一つ一つ取り除くこと。この社会の課題がはっきり見えた。

（2019・11・7）

松下照美さん

ケニアの地方都市ティカで、貧しい子どもたちを支援している徳島市出身の松下照美さんも数年前、強盗に襲われた。スラムにある学校へ打ち合わせに出掛けたときのことだ。見知らぬ男たちに、お金や資料の入ったバッグを奪われた。

もっとも、これが初めてではない。1994年にアフリカへ渡って以降、幾度も危ない目には遭っている。「それに比べりゃ、大したことないけどさあ、それが面白いのよ」

概略はこうだ。訪問先で今しがた起こったことを告げると、相手は血相を変えて怒りだし、知り合いに連絡してくれた。「そしたらさあ、何時間かして戻ってきたのよ、バッグ。諦めていたのに。お金だけは、ちゃっかり抜き取られていたけどね」

後で聞くと、万単位の人が暮らしているスラムのあちこちで、猛然と犯人捜しが始まったらしい。「テルの大事なバッグを盗んだ、けしからんやつがいる」と。今年で74歳になる日本人女性が、この街にどれだけ貢献しているか多くの人が知っている。

アフガニスタンで凶弾に倒れた医師中村哲さんも同様に、住民に慕われていたのだろう。しかしどの国にも、いい人もいれば、悪い人もいる。そこは同じでも、運が悪ければ命を落とす。国際協力の現場の厳しいところだ。

それでも、人を信じてみる。そこからしか築けない関係がある。

（2019・12・11）

住民投票

〈この町の人間が／目覚めてるのは／一年の内で／八月の四日間／阿波踊りの間だけだと／いった人がいた〉。徳島市出身の漫画家、柴門ふみさんの初期の作品『P.S.元気です、俊平』に、こんなせりふがある。

まさに至言、と共感し、俊平同様〈退屈で何もない〉古里を抜け出した。縁あって戻り、何もないわけでもないじゃない、と自らの不見識を恥じるようになっても時折、このせりふを思いだした。そんなころ。

それは鮮やかだった。眠ったようなこの街が、目覚める瞬間を見た。吉野川第十堰（ぜき）の可動堰化の是非を問う徳島市の住民投票である。

70年安保の敵討ちといった、かつての闘士もいるにはいたが、運動を支えた大多数は普通の市民だった。そうでなければ、動き始めたら止まらない、と言われた大型公共事業は、止められなかったはずだ。姫野雅義さん＝釣り中の事故で２０１０年に死去＝という優秀なリーダーが中心にいたとはいえ。

異議申し立てには代償が伴った。公共工事からはじかれるのを覚悟で運動に飛び込んだ建築家がいた。司法書士だった姫野さん自身、失ったものも少なくなかった。しかし、それでも。住民投票運動のメッセージは、それほど輝いていた。

再び眠りについた街。あれから20年、そろそろ目覚める時刻である。未来は、自分たちで決めよう。

（２０２０・１・23）

夜と霧

いかにもっともな言葉であったとしても、耐えがたい苦しみにある人の耳には届くまい。ただし、それを発したのがホロコースト（ユダヤ人大虐殺）を生き延びた人だと知ればどうだろう。

「どんな状況でも、人生には意味がある」。強制収容所から奇跡的に生還した精神科医ヴィクトール・フランクルの名著『夜と霧』は今も心を打つ。第2次大戦中、ナチス・ドイツがポーランドに設けたアウシュビッツ強制収容所が解放され、27日、75年を迎えた。

フランクルは、ここで命の選別に遭っている。将校の人さし指が気まぐれに右へ動いていれば、ガス室に送られ、火葬場の煙となっていた。彼の母と兄を含め、アウシュビッツでは110万人以上が殺された。9割がユダヤ人だという。

現地であった追悼式には、生存者約200人が参加した。こう語る人がいたそうである。「人間は外見も考えも違う。その違いを尊重することが重要だ。（他者への）憎しみを絶とう」

極限状況を耐え抜いた人の言葉だけに重い。騒乱の続く中東で、イスラエルは今や強者の側にあるけれど、これは民族を超えたメッセージだろう。

フランクルは強制収容所で、少数とはいえ〈こちらでは優しい言葉、あちらではパンの最後の一片を与える〉人たちの姿を目にしている。人の本性は、善なるものと信じたい。

（2020・1・31）

効率

「効率」という言葉が、どうも好きになれない。傍らには、往々にして「排除」が控えている。「無駄」をなくせと言う。でも、無駄とは何なのか。本当にそぎ落としていいものか。ある人にとってはそうであっても、別の人にとってはそうでない。無駄とはそういうものだ。しかし少なくとも現代にあって、「効率」の中心にはお金が居座っている。お金の視点から見れば、無駄は簡単に定義できる。つまりはお金にならないことである。グローバル化が進展し、格差の広がる社会で、拝金主義が何の恥じらいもなく力を持ち始めた。例えば、アメリカの現状を見ればいい。そのリーダーの信念は自国第一主義。果ては再選第一主義に行き着く。ひと昔前なら誰も聞く耳を持たなかった極端な主張が、超大国で公然と語られる。21世紀は、暴走の世紀である。

相模原市の知的障害者施設で起きた殺傷事件は、こうしたことと決して無縁ではないと思う。公判でも、被告は一貫して障害者の存在を否定する発言を続けた。

なぜか。分かったふうな解釈を連ねるより、重度障害者でもある木村英子参院議員の問いに、どう答えるか。そちらの方が、はるかに核心に迫れるような気がする。「障害のある子どもが生まれた時、素直に『おめでとう』と言える社会になっているか、想像してみてほしい」。

（2020・2・21）

あさましい

「あさましい」は非難の言葉としては程度が甚だしい。人の品性を問うだけに、いざ使おうとしても、ためらうことが多い。けれども今回はちゅうちょなく言える。何とも「あさましい」話である。

マスクを大量にネットオークションに出品していた静岡県議が記者会見し、売り上げの総額が約888万円に上ったことを明らかにした。「不快な思いをさせた人におわびする」と謝罪したものの、県議は続ける意向だという。

先日も書いた通り当方、病院に通うのにマスクがいる。仕方がないので洗って再利用している。「ないと保育園のお迎えにも行けません。研修会などでも着用を促されます。店では売っていないのに」。読者から当欄に、こんな声も届いている。

困っている人が多いのである。知った上での商売だろう。ここが商機と考えたに違いない。買い占め、転売してもうける、いわゆる「転売ヤー」ではないとはいうが、道義上問題があることでは同じだ。即刻、お辞めになったがいい。

国民生活安定緊急措置法の適用が決まり、マスク難は次第に収まりそうである。しかし情けない。あすで9年になる東日本大震災の際、日本人が見せ、世界から称賛された優しさはどこへ行ったのか。

〈酔へばあさましく酔はねばさびしく〉山頭火。金に酔う人に贈るなら、上の句だけで十分だ。

（2020・3・10）

根というもの

小学校の図書館の本棚に並ぶ偉人伝。ワシントンか、あるいはナイチンゲールのそばにあったはず。ヘレン・ケラー。目も耳も不自由でしゃべることもできない三重苦を乗り越えた人。記憶はそこでとどまるが。

ポンプからあふれる水に手を触れさせ、指文字で何度も「W・A・T・E・R」（ウオーター）とつづる。サリバン先生の熱心な指導で、言葉というものの存在を初めて知った。映画「奇跡の人」の有名な場面だ。

生涯、ケラーに寄り添ったアン・サリバンも目が不自由で、養育放棄に遭い、救貧院で育っている。持論は「誰でも隠れた能力があり、その能力は見つけられるのを待っている」。

2人は社会運動に身を投じ、第1次大戦では平和を訴えた。障害とは、社会が抱える貧困、無理解、差別の問題である―。個人の問題とされていた障害を明快に定義し直した。1937年には日本の障害者に「光をともす」ため、来日している。

世界的著名人の恩師でありながら、サリバンは裏方で通した。『ヘレン・ケラー自伝』（講談社）は、感謝も込めてこう結ばれる。〈根というものは、自分のさかせた美しい花を、けっして見ることのできない運命にあるのです〉

たとえ、咲かせた花は見えないとしても、幸福をつくろうと土の下、懸命に苦労してきた人たちがいて、今日がある。

（2020・3・18）

シダレザクラの里

流れ落ちる薄紅色の滝が街道を洗う。シダレザクラの名所、神山町は今、春も盛り。NPO法人「神山さくら会」が、20年以上も前から植え続けている約4千本が見頃を迎えた。

本県には蜂須賀桜があるものの、桜といえば、一般的にはソメイヨシノである。どうしてシダレザクラなのだろう。町内、下分の明王寺には名高い古木がある。てっきり、それで選んだのか、と思ったら、違った。

会によると、こんな由来がある。地域を花で飾りたい。そう考えた神領の男性が、庭のシダレザクラを接ぎ木で増やし、自宅の周辺にぽつりぽつりと植えていた。高齢でもう無理だからと後を託されたのが、初代理事長の谷高重さんである。

過疎化も問題になっていた。いっそ町の端から端まで桜の街道にして、観光客を呼び込もう。共感が広がり、賛同者が次々と現れた。「シダレザクラ日本一」を目指す息の長い活動は、ここに始まる。

植えてすぐは、か細く、どうにも頼りない。やがて根を広げ、幹を太らせ、輝くばかりの青年期を迎える。会の桜の多くが、ちょうどその時期だそうだ。沸き立つように咲く。

植え始めた男性も、谷さんも、既に泉下の人となった。思いを引き継ぐ人がいて、支える住民がいる。どうやら桜は、物語を編まずにはいられない花らしい。一読するなら、今年は車窓から。

（2020・3・28）

2020年度

この年度の出来事

・新型コロナウイルス感染拡大で政府が緊急事態宣言（4月）
・徳島市長に36歳の内藤佐和子氏（4月）
・そごう徳島店が閉店（8月）
・コロナ拡大で、徳島市の阿波踊り中止（8月）
・徳島県出身のシンガーソングライター米津玄師のアルバムがミリオンセラー達成（8月）
・新型コロナワクチン県内で接種開始（3月）

欠食児童

「ほんとにまだいるんかい」。原稿を送ると、東京本社の編集者が驚いた。毎日新聞で活躍した前野和久さんが「欠食児童」の存在を世に問うたのは、日本が経済成長に沸いていたころだ。『給食の歴史』(岩波新書)によると、冷害でたびたび凶作に見舞われる岩手県の小中併設校を訪ね、児童の様子を記録した。冬は雪に閉ざされ、出稼ぎで暮らす農村で、給食もあるにはあったが、アルマイトのボウルに入った脱脂粉乳だけだ。

3年生28人のうち、11人が弁当を持ってきていなかった。こんな光景を目にしたという。「隣の子が弁当を食べるのを、チラチラ横目で盗み見しながら、ゆっくりゆっくりミルクを区切っては飲み、休んでは飲んでいた」

同年代の人の記憶では極めて評判の悪い脱脂粉乳を、おいしそうに、大事そうに。1965年、事情を知った民間の援助で、その学校では初めてとなる完全給食が実施された。次第に体格が向上し、運動で転ぶ子が減った。

豊かになったこの国でなお、子どもの7人に1人が貧困状態にある。かつての児童と同様、栄養補給を給食に頼っている子が、今もいるのである。長期休校による健康悪化が心配だ。

「フードバンクとくしま」〈電088(679)1919〉や、各地の住民団体が支援に乗り出している。できる協力を、するなら今だ。

(2020・5・2)

自粛

大型連休中のＪＲ四国の利用者が前年同期と比べて90％も減ったという。当然ながら、ひとり四国だけが落ち込んだのでもない。新幹線と在来線特急の主要区間の減少率は95％に達する。恐るべし「自粛」。改めて確認しておくが、求められているのは不要不急の外出の自粛である。「禁止」ではなく、罰則もない。パチンコのような例外はあるけれど、政府の「お願い」に、これだけの人が応えるとは驚くほかかない。

これを日本人の公徳心の高さととるか、社会の同調圧力の強さととるか。いずれもあってのことだろうが、「自粛警察」と呼ばれる「正義漢」が登場するにいたっては、どうやら事態はよくない方に進んでいるようである。

県外ナンバーの愛車に傷をつけられたという転勤族もいる。この「正義漢」、自粛実現のためには犯罪もいとわないらしい。

早合点しないでほしいが、自粛するな、と言っているわけではない。常に他人の目を気にしなければならないプチ監視社会の空気の重さ。重苦しい気分は、ウイルスのせいばかりではないようだ。

法律で禁じなくても目的が達せられるほど、社会の同調圧力は強い。それが過去には、さまざまな差別や偏見を生んできた。コロナ禍を巡り、感染者や医療関係者を苦しめてもいる。今、必要なのは、他者への思いやり、それに尽きる。

（2020・5・11）

ナイチンゲール

英国の看護師にして看護教育の確立者、生誕200年を迎えたナイチンゲールが一躍名を上げたのは、1853年に始まるクリミア戦争でのこと。

ロシアの南下政策に対抗し、トルコ側について参戦した英軍は、3年にわたるこの戦争で2万人以上を失った。3分の2は伝染病による戦病死だった。彼女は、その原因が不衛生な野戦病院にあることを見抜き、清潔な環境づくりに努め、傷病兵の死亡率を劇的に引き下げた。

『感染症の世界史』(角川ソフィア文庫)によると、歴史上、戦争で死亡した将兵の3~5割が病死とみられる。日清戦争(1894~95年)での日本軍は、極端な例の一つだ。戦死者1417人に対し、腸チフスなどで1万1894人の戦病死者を出している。

考えてみれば軍隊は、密閉、密集、密接の3密がそろっている。ひとたび感染症が発生すれば、拡大しないわけがない。第1次大戦を終わらせたのも感染症、スペイン風邪だった。

本県を含む39県で緊急事態宣言が解除された。気は抜けない。3密には引き続き注意しよう。第2、第3波への備えも必要だ。

「天使とは美しい花をまき散らす者ではなく、苦悩する人のために戦う者です」。「クリミアの天使」とたたえられたナイチンゲールが残した言葉である。この機会に改めて、前線で戦う人に拍手を送ろう。

(2020・5・15)

議会

市町村議会の定例会は、一般的には春夏秋冬の年4回。これに対して三好市議会は、県内ではまだ導入例の少ない通年制を採用している。緊急時に、速やかに会議を開くことができるなど、柔軟な運営が可能だ。

その趣旨からしても疑問がある。来月に予定している定例会議の一般質問を、前倒しするならともかく、自粛しようというのである。新型コロナウイルスの影響が広がる非常事態、議員が存在感を示すときなのに。

感染リスクを下げるのが目的らしい。議員や市側関係者が議場に会すれば約40人になる。3密じゃないか、との声が出たようだ。その理屈からすると、通常通りとした委員会や本会議も控えた方がいい。

三好市は、市内の事業者や働く人のために、独自の給付金制度を設けている。必要な人に届いているか、額は足りているか。経済問題以外にも、想定される第2波への備えは十分か。国難と言われる今だからこそ、語るべきことは多いはずだ。

職員の負担に配慮したとも言う。どうやら、コロナを想定した三好市議会流「新しい生活様式」に、一般質問は含まれていないらしい。

政治は言葉である。議員の質問を、自ら「不要不急」事項のように扱うとは理解し難い。議会の値打ちを自ら下げてどうする、とあきれていたら、鳴門市議会も質問時間短縮だとか。やれやれ。

（2020・5・23）

手前味噌

「一語一会」。われながらうまく言えたなあ、と自画自賛。例のごとく、なかなか筆が進まずに、辞書など散策していたら、こんなふうなことわざもあった。

「手加減の独り舌打ち」。自分で料理し、味加減した料理を、おいしいと舌鼓を打って食べること。他人の好みなど気にせず、自分だけおいしいと思っていること、と『新明解故事ことわざ辞典』にはある。類語に手前味噌（みそ）。なるほど。

飯泉嘉門知事が県議会代表質問で、「徳島県知事＝全国知事会長と全国に報道され、県の知名度向上につながっている」と、なかなか微妙な答弁をした。その通り、という支持者もいるだろう。小欄の場合は、さてどうか、と思う。舌鼓どころか、舌打ちすら耳にする昨今。

コロナ禍での知事会の活躍ぶりは、頼もしい限りである。さらに何が奏功したか判然としないものの、本県は第1波をうまくしのいだ。だからといって、全国の人々に徳島の名が残ったか。

むしろ、県外ナンバーを見れば石を投げる排他的な県、という印象がこの間広がりはしなかったか。知事自身「メッセージが強すぎたかもしれない」と釈明した通りだ。「正しいこと」を言うときは、少し控えめにした方がよさそうである。

謙虚さが失われた場所に忍び込んでくるのは、過信だ。新型コロナウイルスが好みそうな土壌である。

（2020・6・22）

高い壁

極端に言やあ、馬の顔がな、長いのか、丸いのかも分からん。そんな状態よ――。隔離政策の弊害とは、例えばこういうことだ。以前、ハンセン病の元患者から聞いた。

岡山県の長島愛生園に収容されたのは戦前、小学生のとき。他の入所者同様、名前も変えた。身元が知れ、家族までも差別や偏見にさらされないように。発病すれば、古里とのつながりが断たれる。そういう病気だった。

国の強制隔離政策が、差別や偏見を増幅したのではないか。入所から60年、70歳を過ぎたころ、仲間が裁判を起こした。長い間、馬の顔は丸い、と言い含められてきたけれど、どうやらそうじゃないらしい。裁判を通じ、人権と言われているものの多くが奪われていたことに、初めて気がついた。

2001年、熊本地裁で勝訴した。宝物のようにしていた判決文が手元にある。亡くなる直前、口癖とともに託された。「ハンセン病ばかりじゃない。今も苦しんでいる人が大勢いるんや」

旧優生保護法下、不妊手術を強制されたとし、77歳の男性が国に損害賠償を求めた訴訟で一昨日、東京地裁は請求を棄却した。期限は20年。今ごろ訴えてもだめだ、というのである。

容易に想像できる。提訴を阻んできたのは、差別と偏見の高い壁ではないか。乗り越えられなかったあなたが悪い、とはあまりに酷な判決だ。


（2020・7・2）

官弁

さる居酒屋で、ひそひそ話。そっと耳を傾けると…。「つかまるなら小松島署だ。官弁がいい。すしまである」。官弁とは留置場で出る食事のこと。官費で賄われる弁当で、まずいのが相場だ。でまかせ言うな、と否定され、男は声に力を込めた。「ほんまやって」

先週、100年ののれんを下ろした小松島の料理店「金丸」は、大正時代から留置人の食事の面倒をみてきた。本業は懐石料理で、官弁は余技の余技。「もうけにもならず、厄介なだけ。頼まれて仕方なく」とは、4代目・住村貞夫さんの弁。

さる「業界」に広まった伝説も事実だという。いつも、というわけではないけれど、宴会用の材料が余ったときなどは、いきおい、仕出し弁当のようになる。

妻の美恵子さんは、こんな電話を受けたことがある。妙な話とお思いでしょうが—。男はそう切り出した。「署で食べたピリ辛ウインナーの味が忘れられない。刑務所から出たら、あれを具に焼きそばを作ろうと、ずっと楽しみにしていた。なのに方々探し回ってもないんです」

業務用で一般には販売されていなかった。卸業者を紹介した。後日、業者から「妙な電話があった」と聞いた。

金丸の閉店を、意外な人が話題にしているかもしれない。その味の思い出が、更生とともにあってくれたら。店主夫婦のささやかな願いだ。

(2020・7・14)

農業

生まれてこの方、農に類する作業は、学校の授業以外、やったことがない。花をつくる趣味もないので、いよいよ土には縁がない。田舎に暮らしていながら、随分と損をしているのではないか、と最近、思うようになった。

日本農業新聞の読者欄に、福岡の男性の俳句が載っていた。若い頃は生活の糧としての農業に懸命だったが、今は畑に出ること自体が楽しい。土のにおいも汗も気持ちがいい、そんな心境なのだそうだ。〈老いの世を土と向き合ふ汗涼し〉西山勝男。

いいなあ、と小声で言う。連れ合いに知れたなら「ヘビが怖くて、草むらに近寄れないくせに」とからかわれるから、これは内緒の話。〈土と向き合ふ〉。いかにも地に足の着いた生き方にひかれる。

農業は間口の広い産業だ。近年、不足する働き手を新たに障害者に求め、同時に社会参加も促す「農福連携」が脚光を浴びている。来る者は拒まず、といったわけでもないのだろうが、さまざまな可能性が試せそうである。

ただ、いいな、いいなと口にできるのは、実のところ、経営を考慮の外に置いているからだ。農業でそこそこ稼ぐ、となった途端、難易度は急上昇する。

「いずれは農業でも」と農家の知人にもらしたら、「でも、なんて言っているうちは、まず無理」と。文句のつけようもない正論が瞬時に返ってきた。

（2020・7・21）

河童

作家芥川龍之介が亡くなったのは1927年の7月24日。命日を「河童忌」と言う。河童の絵を好んで描いたことや最晩年の代表作にちなむ。

その『河童』に、こんな場面がある。異界に落ちた「僕」は、紙とインク、灰色の粉末を機械に入れると、たちまち書籍が製造できてしまう、それればかりか絵画も音楽も、何でも大量生産してしまう河童の国の技術力に驚嘆し、社長に尋ねた。

毎月、何百種類もの機械が考案され、何万もの工員が職を失っているのに、どうしてストライキの一つも起きないのか。河童社長は平然と答えた。「みんな殺して食ってしまうのですよ」

河童の国には特別の法律がある。路頭に迷う社員の苦労を国家として省略してやるのだ、大した苦痛はない、と。不快感をあらわにする僕に、社長は畳みかけた。「あなたの国でも貧困階級の娘は、売春婦になっているではないか」

同じではないか、との作者芥川の回答は、身売りの横行した第2次大戦前の慢性不況や、社会の気分をも映している。他者の不幸を当然とする河童を、他人の涙に無自覚な人間が非難できるのか。

世界が苦境にある今も同じだ。必要なのは、偏見ではなく優しさである。分断ではなく連帯、支え合いである。誰かに犠牲を強いることがないように。コロナ禍は人の心のありようを試している。

（2020・7・24）

首相を送る

先日のこの欄で、議員は気楽な稼業だ、と書いた。読者の多くには、皮肉と理解いただけただろうが、念のために補足しておくと、気楽かどうかは無論、人による。

まともな政治家にとっては、結果が全ての因果な商売である。中枢にいる人ならなおさらだ。できたことよりも、できなかったことで容赦なく批判される。

「痛恨の極みだ」。辞意を表明した記者会見で、安倍晋三首相は繰り返した。首相の場合は批判に応えてというより、本当にやりたかったことに結果が出せなかった、じくじたる思いが集約されているのだろう。すなわち憲法の改正、拉致問題の解決、北方領土返還の実現である。

潰瘍性大腸炎が悪化し、職務執行は困難と判断したそうだ。ならば退陣はやむを得まい。この稿も本来はアベノミクスや安全保障法制を俎上に載せるべきだが、去りゆく人に、いけない、筆が甘くなる。

歴代最長政権である。注文を付けた回数も他の比ではない。なので今回ばかりは、モリカケもコロナも投げ出しも他に任せ、その通り、と素直にうなずいた一言を記しておきたい。2016年、米ハワイ・真珠湾で首相はこう述べた。「戦争の惨禍は世界から消えず、憎悪の連鎖はなくなろうとしない。寛容の心、和解の力を世界は今こそ必要としている」

舞台を降りる権力者の背中は寂しい。

（2020・8・29）

牛人

人気テレビ番組、日曜劇場『半沢直樹』（毎日放送）は、帝国航空の再建を巡り、国家権力と渡り合うに至って、いよいよ役者の演技は仰々しく、これは歌舞伎か、と失笑しつつ。「倍返しだ」、大見えを切る半沢に胸がすく思いをしている人も多いはずだ。

そんな人に中島敦の短編『牛人』をお勧めしたい。『春秋左氏伝』に題材をとった古代中国が舞台の物語である。格調の高い文章だけに難読字には閉口するが、じっくり読んでも10分とかからない。

落ちてきた天井に挟まれて苦しんでいると、牛そっくりの男に救われる。ある高官がこんな夢を見た。そんなことがあって数年後、かつて関係のあった女が尋ねてきた。連れていた子は、夢の男とうり二つ。名を「牛」と言う。

高官は、利口で気の利く牛をかわいがったが、跡継ぎにする考えはみじんもなかった。それでも牛は、けなげにつかえる。彼の本当の目的は何か。読み終えるころには、骨の髄まで凍りついているはずである。

従順なふうでいて、それでいて。まずは上に取り入ろうと、牛のごとき振る舞いをする人は、勤め人の世界でも見かけないこともない。

そんな権謀術数は上の人に、半沢の敵役、大和田常務のような人たちにお任せしよう。われらは仲間を裏切らず、助け合い、誇り高くいきませんか。人生の時間は有限だ。

（2020・8・30）

社会の縮図

アメリカのテレビで放映されたのが今年の6月。現地では新型コロナが猖獗を極めていた。こんな感想が届いたという。「実に規律正しい。こういうふうだから、日本は感染者数が少ないんだ」

高校野球は日本社会の縮図ではないか。山崎エマ監督が、そんな問題意識から取材を始めたドキュメンタリー映画「甲子園　フィールド・オブ・ドリームス」がイオンシネマ徳島で公開中だ。

カメラは白球にかける高校生の姿を丹念に追う。見守るのは、徳島市出身、横浜隼人高の水谷哲也監督。野球を人づくりの一環としてとらえる指導法で名高い。大リーグで活躍中の大谷翔平選手を育てた佐々木洋・花巻東高監督の師匠でもある。

「野球はつながるスポーツ」が持論。キャッチボール一つとっても、一人ではできない。それぞれの場所で、各人がそれぞれの役割を果たす。チームは綱引きのようなもの。長年の指導経験からしみ出す水谷さんの言葉が、物語を非凡にしている。

懸命に練習した。でも甲子園には届かなかった。それでも負けは無駄ではない。自称・昭和の頑固おやじは言う。「この悔しさを忘れず、人生の勝利者になってください」

社会も高校野球も転換期を迎えている。過去にしがみつくのも、全て葬り去るのも愚かだろう。ポストコロナへ何を伝えるか、と山崎監督は問う。

（2020・9・24）

いけるで

病気だと聞いて、どんな言葉をかけるか。相手が友人なら、阿波弁のマジックワード「いけるで」あたりが無難。何が「いける」のか、よく分からないところがミソだ。幅広く使える言葉である。

相手が上司ならどうか。「いけますか」と単純に丁寧語へ変換する手もあるが、お勧めはしかねる。大失態にもつながりかねない。状況に応じて考えた方がいい。いずれにしても、友人の場合と同様に、体調を気遣う言葉から始めることになるだろう。

普通ならそうなるが、新型コロナは違うようだ。気になるのは、もっぱら、どこでうつったか。病気の人を前にして、体の心配より感染源に関心が向くなんて。コロナ禍でも「大丈夫ですか」「お大事に」といった当たり前の言葉を大切にしたい。

というのは、われら一般人の話である。「一体、危機管理はどうなっているのか」。相手がこの人なら、この辺から話を始めなければフェアではない。

世界を動かし、核のスイッチさえ入れられるトランプ米大統領が、新型コロナに感染したという。夫人と共に自主隔離に入る。

幸い元気だと聞く。ならば容赦なく罵倒したい。米国がくしゃみをすると、風邪をひくのは日本ばかりでない。超大国のリーダーの、何たる無自覚、脇の甘さか。まさかとは思うが、念のため、わが首相にも。「いけますか」。

（2020・10・3）

創作を励みに

持ち込んだとき、担当の人に「これはいいね」と褒められた。「だから、少しだけ自信がありました」。はにかむ声が明るい。なので、ぶしつけながらも聞いてみた。「ところで、あれは何でしょう」。作風は結構、アバンギャルドだ。

第26回徳島障がい者芸術祭エナジー２０２０で、貼り絵の西條法子さんと共に大賞をとった森井聡子さんの鉛筆画は、離れて見ると、さざ波のよう。

近づいて目をこらせば、画用紙いっぱいにびっしりと、小さな模様が並んでいる。「木の葉ですかね」「いいえ、自動車会社のロゴや、人間、ハートの形、と浮かんでくるイメージを次々と描いていったんです」

夕食までの2、3時間、白い荒野に一粒一粒、辛抱強く、時にはリズミカルに種をまく。そうした作業を1週間続けて、自然と出来上がった作品だそうだ。あらかじめ意図したわけではない。なので「無題」。見る人が、何かを感じとってくれたらいい。

無数の模様の一つ一つが人とするなら、これは世界だ。78億人が今、コロナの脅威にさらされている。おびえながらも皆で寄り添いガンバロウ。そんな気持ちにも。

賞らしい賞は小学校以来のこと。最近は体調も安定している。賞を励みに、創作を励みに今を生きる。芸術祭には、そうした作品が集まっている。県文化の森総合公園で、11日まで。

（２０２０・10・10）

官房長官の仕事

在籍したのは半年ほどと、意外に短い。それでも記憶が鮮明なのは、後藤田正晴さん以来の実力派官房長官だったからだろう。没してなお、毀誉褒貶（きよほうへん）相半ばする仙谷由人さん。悪評の一因ともなった中国漁船衝突事件で、前原誠司元外相が新たな証言をした。

ちょうど10年前の２０１０年、旧民主党政権下、沖縄県尖閣諸島付近の日本領海で操業していた中国漁船が、海上保安庁の巡視船に、船体をぶつけた事件である。海保は、公務執行妨害で船長を逮捕した。ところが那覇地検は、処分保留で釈放する。

当初から政治の関与が疑われ、「弱腰外交」が激しい批判を浴びた。その中心で泥をかぶり、悪口雑言の的となったのが、「影の総理」とも言われた仙谷さんだった。

閣内にいて事情を知る前原さんは、釈放を指示したのは当時の菅直人首相だ、と今回明らかにした。事実上の指揮権発動である。対中関係の悪化を懸念して、「とにかく帰せ」の一点張りだったという。

首相の意向を知った仙谷さんは、「あとは任せておけ」と応じたそうだ。この件で参院の問責決議を受け、官房長官を退いている。「全ての批判は仙谷氏が浴びることになり、非常にじくじたる思いだ」と前原さん。

政権の屋台骨を担った仙谷さん。全てを飲み込み、墓場まで持っていった話は、これ一つではないだろう。

（２０２０・10・13）

飽食と飢餓

アフリカ南部のザンビア、首都ルサカの外れで、同道者と食堂に入った。午後は郊外の村で、徳島の国際協力団体TICOの活動を取材する予定になっていた。

「武士はいざというときには飽食をしない。しかしまた空腹で大切なことに取りかかることもない」（森鷗外『阿部一族』）。腹が減っては、というわけで、取りあえず胃袋に何か放り込んでおこう、となったのである。

おいしそうなものがあれこれ。名言の前半はすっかり忘れて、いっそみんな頼んでしまえ、と。二人して食べ過ぎで気分が悪くなった。

干ばつに見舞われた村は、乾いた平原のただ中にあった。おどおどと戸外に出てきた少女はやせていた。妹は腹が膨らんでいた。栄養失調だ、と同行した医師は言った。親は出稼ぎでいない。残りの食べ物を聞くと、わずかな木の実だけだった。

つい数時間前、飽食を地で行った先進国の住人二人。後ろめたくて、うなだれながら帰途に就いた。恥じ入るばかりの記憶である。あの少女のように、飢えに苦しむ人は今も世界に6億9千万人いるそうだ。

ノーベル平和賞に選ばれた世界食糧計画（WFP）の年間支援量は約420万トン。2017年度には、それを上回る約612万トンの食品が日本で廃棄された。きょうは「世界食料デー」。飢餓や貧困問題への理解を深める日である。

（2020・10・16）

最も貧しい大統領

書き損じると七転八倒、全くもって意味が違ってくるから要注意である。「七転八起（しちてんはっき）」に類する名言は、それこそ旧約聖書の時代から、多くの偉人が発し、多くの人の道しるべとなってきた。

例えば18世紀イギリスの作家ゴールドスミスは、こう表現している。「私の最大の光栄は、一度も失敗しないことではなく、倒れるごとに起きるところにある」。失敗はするもの。必要なのは立ち上がる勇気だ。

清貧で知られた南米ウルグアイの元大統領ホセ・ムヒカさんが政界からの引退を表明した。85歳の今も上院議員を務めていたが、持病があり、新型コロナウイルスの流行で十分な活動ができなくなった。

青年時代、極左武装組織に参加、13年間の獄中生活を体験している。政治家に転じ、大統領在任中の2012年には、消費に狂奔する世界を、国連の会議で鋭く批判、注目を集めた。

報酬の大半を寄付して農場で暮らすなど、権力者らしからぬ姿に「世界で最も貧しい大統領」と呼ばれた。貧乏とは、欲が多すぎて満足できない人のこと。〈私は貧乏なのではない、質素なだけだ〉とムヒカさんは返す。

引退に当たり若者に呼び掛けた。〈人生で成功するということは（人を）負かすことではない。倒れるたびに起き上がるということだ〉。この言葉も「七転八起」の名言の列に並ぶのだろう。

（2020・10・26）

ブラジル移民

本県から1300人を超す人が海を渡った、ブラジル移民の苦労の一端がうかがえる小説がある。27日に亡くなった作家大城立裕さんの短編『ノロエステ鉄道』だ。

沖縄から移住した女性が、つらいばかり、悲しいばかりの70年を語る。食い詰めて船に乗った人もいる。女性と夫は、そうではない。それだけに考えることが多かった。自分らにとって日本とは、古里沖縄とは。

ブラジル南部の果てしない草原を走るこの鉄道は、全長1762キロ。日露戦争開戦の年、1904年に着工した。最初のブラジル移民船「笠戸丸」がサントス港に着岸したのが、その4年後。労働は過酷を極めた。小説の通り、鉄道は日本人の血と汗で敷設されたものだという。

女性は5回身ごもった。子が熱を出しても未開の地、医者はいない。線路伝いに町へ歩く途中、1人は背中で死んだ。自分の子がいけにえとなった鉄道の、冷たいレールを両手でつかんで泣いた。結局、育ったのは1人。

耐えるばかりのやるせない人生だった。けれども意味があった、と女性は思い返す。沖縄出身で初めて芥川賞を受賞した作家のまなざしは優しい。

ブラジル移民は73年まで続き、25万人が移住した。本県出身者も、どれだけ苦しんだことか。今、外国から労働者を受け入れている日本で、同じことが起きていないだろうか。

（2020・10・30）

民権ばあさん

親しみと多少のからかいも含んでいたか。明治のころ、「民権ばあさん」と呼ばれた女性が高知にいた。天保年間の生まれの楠瀬喜多。自由民権運動の集会には必ず姿を見せたという。

納税額や性別による差別が当たり前だった時代。そんな選挙制度に異議を申し立てた。夫に先立たれ、戸主として納税もしているのに、女だからと地方選の投票すら許さないとは何事ぞ。県や国に道理を説き、かなうまで税金は払わない、と訴えた。高知市の一部で実現しかけたものの、結局、ほごにされた。平塚らいてうや市川房枝が登場するはるか前、日本で最初の女性参政権要求者とされる。

楠瀬が88歳で亡くなった1920年、全米で女性の政治参加が認められた。それから100年がたつ。米大統領選の勝利演説でハリス上院議員は述べた。「副大統領になる女性は私が初めてかもしれないが、最後にはならない」

ジャマイカ系の父とインド系の母を持つ移民2世である。女性のみならず、人種的少数派の代表としても期待が集まる。依然「分断」を支持する人は多い。克服する知恵と忍耐が試される。

あらゆる人が等しく尊重される国づくりは、現代国家共通の目標といえる。あえぎつつ、行きつ戻りつしつつ進む米国。そのさらに後を行く。もたつく日本の現状を、楠瀬ならしかり飛ばすだろう。

（2020・11・11）

九つの命

第一高等学校1年の藤村操（みさお）が、栃木県の日光華厳（けごん）の滝から身を投げたのは１９０３（明治36）年5月22日のことである。

「巌頭之感（がんとうのかん）」と題する一文を滝上のナラの木に彫りつけている。〈万有の真相は唯（ただ）一言にして悉（つく）す、曰（いわ）く「不可解」。我（われ）この恨みを懐（いだ）いて煩悶（はんもん）終（つい）に死を決するに至る〉

藤村君、難しい言葉を操ったところで16歳でしょ。人生の苦楽をどれほど味わったことがあるのですか―。悩める青年哲学者を、小欄ごときが止められたとは思わないが、明らかなのは、後年もてはやされる彼ですら、誰かに自分を分かってもらいたい衝動を抑えきれなかったことである。

自殺願望のある人は「死にたい」といった気持ちと「生きたい」といった気持ちのはざまで揺れ動くという。危険信号を出している場合が多いそうだ。藤村君の決意の一文も突然舞い降りたわけではないはず。

生まれるのが１００年余り遅ければ、悩める日々をＳＮＳに書き込んでいたか。出会うことのなかった者同士が結びついて、救われた可能性もあったろう。ＳＮＳにはそんな機能がある。

ただ、神奈川県座間市の9人殺害事件は、残忍に物語っている。仮想空間には、命の重さを羽毛ほどにしか感じない犯罪者もうろついている。「あなたが今つながっているのは、誰ですか」。失われた九つの命が叫んでいる。

（２０２０・12・16）

ガマフヤーの怒り

電話の声は、やるせなさでいっぱいだった。「辺野古の埋め立て用の土砂を、県南部で確保するというのです。沖縄戦で犠牲になった人の遺骨が、まだ埋まったままになっているのに」

電話の主は那覇市の具志堅隆松さん。ガマフヤー（ガマを掘る人）を名乗る。ガマとは、沖縄でよく見られる自然洞窟のことで、戦争中は軍人も民間人もここに潜み、鉄の暴風と呼ばれた米軍の激しい攻撃をしのごうとした。大勢が亡くなった。

長く遺骨収集に携わっている。著書『ぼくが遺骨を掘る人「ガマフヤー」になったわけ。』（合同出版）に打たれ、活動を取材させてもらったことがある。「業者は既に用地を確保した。県や国にやめさせるようかけあっている。遺骨があるのを知っていて計画を続けるとは何事だ」

米軍普天間飛行場（宜野湾市）の移設先となる名護市辺野古の海に、戦没者の遺骨の交じった土を投入しようというのである。具志堅さんの怒りは収まらない。

新基地が完成すれば、米軍に踏みつけにされる。死んでなお。戦没者の悔しさは容易に想像できるだろう。

米軍占領下、耐えに耐えてきた沖縄の怒りが爆発した1970年のコザ暴動から、きょうで50年。死者の思いをないがしろにしてまで機嫌をとらなければならない。日本にとって米国は、いまだにそんな存在なのか。

（2020・12・20）

あしなが育英会

病気や災害で親をなくした子どもたちを支援する「あしなが育英会」の機関紙『NEWあしながファミリー』に、ひとり親世帯の切実な訴えが載っていた。

首都圏で暮らす母親はこう言う。そもそもが、どうにかやってきたところにコロナ禍。収入は激減し、子どもを養っていくには全く足りない。親子ともども大きな不安の中で過ごしている、と。

別の母親は訴える。子どもと一緒に強く生きていかなければならず、日頃はあまり困っていると言いたくないという気持ちがある。しかし一日一食、食べられるか食べられないか、では……。

〈お金のことを考え、将来なりたいものを親にちゃんと言えない子もたくさんいます。私たちは好きでこうなっているわけではありません〉。育英会の全奨学生7591人〈高校～大学院、徳島県内在住33人〉を対象にしたアンケートに、大学生の4人に1人が「退学を検討」と回答した。

新型コロナウイルスは全ての人に、平等に襲いかかるわけではない。洋の東西を問わず、とりわけ社会的弱者に牙をむく。

きょうはクリスマス。例年なら、にぎやかに過ごす人も多いのだろう。コロナに翻弄(ほんろう)される今年、提案したい。この瞬間にも苦しんでいる人、現場で奮闘している人たちがいる。祝会の前に少しだけでも、何ができるか、考える時間を持ちませんか。

（2020・12・25）

天狗久

希代の人形師・天狗久（てんぐ）（１８５８〜１９４３年）は言った。「頭（かしら）作りで一番難しいのは耳だ」。そうそう注目される部分ではない。なんでやろ。

初代の作品を追い掛けた写真家・西田茂雄さんに尋ねてみた。「わたしなんか、ごじゃ（いい加減）ですから、とてもできませんが…」。愉快そうに続ける。「見えないところまで手を抜かない。だから名人なんでしょう」

徳島市で開かれた展覧会。西田さんのレンズがとらえた天狗久の作品は、すごみを帯びていた。病気で27日間休んだ以外、徳島市国府町の工房に70年座り続け、作り続けた頭である。一彫り一彫りに命が宿る。

息を詰めて正対しないと、頭の放つ一瞬の表情を見逃してしまう。発する声を聞き逃してしまう。「人間とまるで同じ」と西田さんはうなずく。ごじゃ、では撮れない。

映画の登場もあって、明治を過ぎると人形浄瑠璃の人気は衰えた。もはや名人の作であろうと簡単には売れない。芝原生活文化研究所の辻本一英さんによると、窮地を救ったのが、木偶（でこ）を携え津々浦々、全国を行脚した箱廻し芸人だ。

大道芸はさながら見本市となった。各地の人形遣いが、興行で目にした天狗久の木偶にほれ込み、次々注文が舞い込んだという。芸に生きた人々が、しっかりとつないだ阿波人形浄瑠璃の歴史。記憶されるべき記録だ。

（２０２１・２・19）

草々

前略　内藤佐和子さま。こんな書き出しのコラムは嫌みたらたらに決まっている。ワンパターンなのよ、と賢明な市長のことですから、既にご立腹のことと存じます。

ご推察の通りで申し訳ありませんが、一つだけ。お忙しいでしょうから、結論から書きます。「コロナ禍に苦しんでいる人が徳島市内にも大勢います。市長給与の月39万円もの引き上げは考え直すべきではありませんか」

上げるといえば語弊がありました。これでは条例で定められた月111万8千円を、さらに引き上げることになりますね。違います。現行50％の給与削減率を、15％に緩和するということでした。月95万3００円になると聞いています。

給与半減は選挙公約。接戦を制する決め手となったかもしれません。期間は「財政状況の好転が見られるまで」。よくなれば戻します。そういうことでしたね。

給与削減率を緩和する理由に、行財政改革推進プランの見直しや、新ホールが県立となったことによる負担減を挙げておられますが、これらの効果が現れるのはこれからです。捕らぬたぬきの類いではないですか。

給与増に値する成果があった。引き上げも当然だ。そうお考えなのでしょう。だとしても、感染終息のめどが立たず、先行き不透明な今がその時ですか。納得する市民がどれほどいるでしょうか。草々

（2021・2・20）

スラマッパギー

インドネシア語で「おはよう」を「スラマッパギー」と言う。佐賀県の幼稚園児に教わった。事務機器メーカー・マックスが募集した第11回「心のホッチキス・ストーリー」入賞作の一つである。幼児の新鮮な驚きが、短い文によくまとめられている。

外国から来た友達と毎朝、「スラマッパギー」とあいさつを交わすようになったある日、家へ遊びに行くと、お母さんが塩ラーメンのような料理を振る舞ってくれた。少し変わった味がしたらしい。

〈私がふしぎだなあ、と思うようなたべものを、インドネシアのおともだちはおいしそうにたべているってどうしてだろう。じゃあ、日本のりょうりはインドネシアの人にはふしぎなあじがするんだろうか。ほかのくにはどうなんだろう？　考えるとたのしくなってきました〉

担当者によると今回、全国から1万6千件余りの応募があった。新型コロナウイルスの感染拡大で、家族や友人とのつながりの大切さを見つめ直した作品が多かったという。

三重県の50歳の女性は、スーパーへ買い物に行くたび、離れた場所に駐車するよう促した亡き母の言葉を記した。〈遠くに停(と)めたら、誰かが近くに停められるやろ〉

人の身になって考える。思いやりとは、そういうことだ。それは、コロナ禍を乗り越えるために最も大切な心の持ちようでもある。

（2021・2・26）

救われる人がいるなら

避けられないことを嘆いてはいけない、とインドの古い教えは説く。生まれた者に死は必ずやってくる、と。そうであっても嘆かずにはいられない。人間は、それほど強い生き物ではない。予想もしなかった別れに際しては、なおさらだ。

教えはこうもいう。死せる者は、また必ず生まれ変わる。東日本大震災の直後、被災地では、亡き人にまつわる不思議な話がよく聞かれた。残された人たちの、犠牲者に対する強い思いが、さまざまな体験や物語に形を変えたのだろう。

肉親を失った人ばかりではない。震災で傷ついた約３００人の遺体を生前の姿となるよう復元した納棺師笹原留似子さんは、ある日、不思議な夢を見た。３人の親子が現れ、修復してもらった「お礼」がしたいと言う。

３歳ぐらいの娘が「汽車ポッポ」を歌ってくれた。1歳の男の子は「となりのトトロ」を。こんなことが、と3人の家族に伝えると、確かに子どもたちが好きだった歌だ、とうれし涙を流しながら話してくれた。

霊現象など、あり得ない。何らかの合理的な説明がつくはずである。どちらかといえばそう考える、当方もその一人だ。

でも、こうも思うのである。実在するかどうかは、この場合どうだっていい。救われる人がいるのなら、それは「ある」といっていいのだ。10年たっても、消えない悲しみに。

（2021・3・1）

原発とバラ（上）

民家の板塀を越え、あふれ落ちる花の滝を見た。バイクをとめ、そばへ寄ってみた。小粒で深紅、無数のバラだった。17歳の夏、少年は恋に落ちた。

「花になど、全く興味がなかったけれど、多感な時期だったからね」。福島県双葉町、世界にも知られた「双葉ばら園」は、岡田勝秀さん(77)が半生をかけて造り上げた庭園である。「バラはね、手をかければかけただけ、応えてくれるんです」

好きならやってみろ、との父の勧めもあって一生の仕事と定め、開園したのが1968年。こんな田舎で酔狂な、と周囲は冷たかった。東京電力福島第1原発の運転開始まで3年、「本当の仕事とはこういうものだ、とも言われてね」。町は原発景気に沸いていた。

大方の予想とは裏腹に、大勢の人が詰めかけた。レジャーブームも手伝って、経営は順調だった。でも何か違う。これではただのバラ畑だ。

夜を日に継いで考えて方向は決まった。緑したたる周囲の景観と調和した、日々成長を続ける、誰をもとりこにする楽園に。世界の名園同様、完成には100年以上の歳月がかかるだろう。

バラと出合って50年。6ヘクタールの敷地に古今東西の7500株、来場者は年5万人を数える。はるかな道の、ようやく半ばが見えてきたころ。2011年3月11日、8キロ先の原発が事故を起こした。（この項続く）

（2021・3・5）

原発とバラ（下）

一時帰宅が許されたのは6月、東京電力福島第1原発が爆発し3カ月が過ぎていた。その足で、経営する「双葉ばら園」（福島県双葉町）へ向かった。放射線量の高い帰還困難区域にある。防護服の岡田勝秀さんが目にしたのは、今を盛りと咲くバラだった。辺りには、ふくよかな香りが漂っているはずだが、ぶ厚いマスクで分からない。

声がした。「なぜ私たちを置いていったの」「なぜまた置いていくの」。植物も人と同じだ。命がある。制限時間になり、胸がつぶれる思いで去った。

時の経過とともに園は荒れ、2年とたたずに草で覆われた。愛情を注いだ花々も、ほとんどが枯死した。理想郷を築く100年の計画が幻と消え、ふさぎ込む日々。残してきた〝恋人〟に悪い気がして、バラを見るのがつらかった。

3年前、地元の小学校の依頼で講演をした。「人間には出合いが必ずある。通り過ぎる前に、チャンスをつかめ」。自分には、そう、バラがあった。再び前を向く気力が湧いた。唯一残ったピンクの品種を挿し木し、茨城県つくば市の避難先の庭で咲かせた。

原発事故から10年たった今も、双葉町の全町避難は続く。東電相手の裁判が終われば、別の土地で「双葉ばら園」を復活させるつもりだ。古里を奪われた人たち、再開を待ってくれている人たちのために、理想郷を必ず。

（2021・3・6）

震災10年

風が吹いた。潮騒が聞こえる。見渡す限り無人の野だった。宮城県山元町。海砂が積もっていた。ついこの前までは、人や車でざわついていたはずなのに。駅舎も小学校も民家も、骨組みばかり、基礎ばかり。

仙台市から南下する国道6号は、太平洋と並行に走る。作業車で仮設住宅まで送ってくれた男性が言った。「俺の家は山の方だから、まだね」。指さした国道が壁になり被害を免れた。道を境に、津波は海側をなめ、人も物もことごとくさらった。

真新しい葬儀場に立てかけられた看板に名が並んでいた。名字は一つ。一つ家族で何人もが犠牲になった。幼児もお年寄りも。何と言えばいいのか。圧倒的な自然の力。もはやあらがうことのできない、絶望感。

目の前の光景は、近い将来の古里の姿かもしれない。そう思うと身が震えた。それから10年がたつ。いまの今も、南海トラフの奥深くで危機はうごめいているのに、あの時感じた恐れは、時間とともに薄らいでいる。

それを風化という。熊本地震に西日本豪雨。毎年のように自然は牙をむく。どうやら、災害は人知を超える。なのに、次第に慣れっこになってきてはいないか。その一つの表れが原発の再稼働だろう。

3・11。思い出そう、あの日を、生き残るために。さらに思い出そう、困難に立ち向かう勇気と、助け合いの力を。

（2021・3・11）

命てんでんこ

人には惻隠（そくいん）の心がある。同情、哀れみの心である。井戸に落ちかけている幼児を見て、助けない人がいるだろうか。全員とは言わないが、人は大方、優しいものなのだ。

危険を知りつつ、行かずにはいられない人がいる。幸い、筆者が所属する消防分団は、そこまで切羽詰まった状況に直面した経験はないけれど、口を開けばふざけたことしか出てこない団員が、災害の現場で懸命に働くさまを何度も見てきた。

義務感からというのとは少し違う。困っている人を捨て置けないのである。東日本大震災では、そんな消防団員が250人以上殉職した。

以前、岩手県大槌町の消防団幹部・岩崎伸行さんからうかがったことがある。寝たきりのお年寄りを救助中、津波にのまれ、共に活動していた同僚を失った。同町では団員16人、婦人協力隊員14人が命を落としている。

自分の安全をまず確保する。これが教訓だという。「でも、助けが必要な人がいて、放っておけますか」。無理ですよ、と岩崎さんは続けた。

政府主催の十周年追悼式で「悲しみは癒えないが未来に進む」と被災者代表は述べた。私たちは災害列島の住人である。悲しむ人が二度と出ないように、とにもかくにも、とにかく逃げる。「命てんでんこ」の教えを守ろう。避難誘導に当たる消防団員の命を救うことにもつながるはずだ。

（2021・3・12）

トビ

吉野川の堤防道路を走っていた。対向車が、どうにも進みかねるといったふうにスピードを落とし、停車した。つられてこちらの車線も低速に。ゆるゆる行くと、トビが1羽、道の真ん中にいた。

顔に血が付いている。車にぶつかりでもしたのか、随分弱っていた。ゆっくり目を閉じた。命が消え入るときの荘厳な表情が浮かんだ気がした。

通り過ぎ、後悔した。長くはないかもしれない。だったらせめて、歩道に上げてやればよかった。明日になれば、ひかれて無残な姿をさらしているのではないか。

われながら、かなりひきょうな部類の人間である。こんな場合、そうしなかった自分が正当だ、と言い張れる理由を探して納得しようとする。意外に元気で、かみつかれでもしたらどうする、一瞬気を失っただけかも…と。

翌日、すまぬ思いで現場にさしかかったらいない。優しい誰かに助けられたのだろうか。胸をなで下ろしたのもつかの間、しくじったと思った。自分だって、その「誰か」になれたはずなのに。

正月の社説で何事も人任せにしない「わが事主義」を提唱した。まちづくりのような大きな話でなくてもできることは多い。誰か任せにはしない。ささやかでも動き出すことが肝心だ。コロナ禍、まずは「私が」主義でいこう。堤防の春の陽光を浴びながら、ささやかに決意した。

（2021・3・28）

2021年度

この年度の出来事

- 東京五輪・パラ五輪無観客開催（7月）
- 阿南市出身のオリックス杉本裕太郎選手が本塁打王（10月）
- 半田病院でサイバー攻撃被害、電子カルテがウイルス感染（10月）
- 徳島市出身の作家で僧侶の瀬戸内寂聴さん99歳で死去（11月）
- 阿佐東線で、線路と道路の両方を走る「DMV」開業（12月）
- ロシアがウクライナ侵攻開始（2月）

烏合の衆

カラスの群れのごとく、ただカーカーと騒ぐしか能のない連中じゃないか。こぞって敵に走った部下たちを「烏合の衆」と断じて一蹴した将軍がいた。カラスは知能の高い鳥とされるが、2千年前の中国では様子が違っていたようである（後漢書）。

大衆社会となった現代、インターネットという道具を得て、烏合の衆は身に余る力を持った。良い方に働く場合も多いけれど、かなりの確率で人を傷つけてしまう。

人の不幸は蜜の味という。角砂糖に集まるアリのごとく標的に群がり、歯止めなき悪口で命すら奪う。出演したフジテレビの番組が原因で、誹謗中傷され亡くなったプロレスラー木村花さんも犠牲者の一人だ。

木村さんをツイッターで侮辱した容疑で、30代の男性が書類送検された。この問題で立件されたのは2人目。先の一人は略式起訴され、科料9千円の略式命令が出ている。

人の命と9千円。落差にがくぜんとする。多くは責任も問われない。事業者を巻き込んで、SNSへの無責任な書き込みを許さない体制づくりが肝要だ。

それにしても人をいじめて何が楽しいのか。歌手矢沢永吉さんはヒット曲「アリよさらば」で叫ぶ。〈WHY？　なぜに　生きているのか？〉。人は生まれ、いつかまた死んでいく。一瞬のその時間を、悪口を書き込むのに費やすのは惜しくはないか。

（2021・4・8）

武漢日記

〈武漢でこのような記録を残している人は、作家や詩人を含めて少なくない〉。引用したのは中国の作家・方方さんの『武漢日記』（河出書房新社）。新型コロナウイルスによる都市封鎖下、何が起きたか。その現場報告である。

「含めて」という語に注目していただきたい。この文から、「作家や詩人」は、記録を残した人の中で多数派だった、と考える人はまずいない。日本語は普通、そう読む。

宿泊療養者施設の入所者数に、実際はまだ入っていない「調整中」の人を含めていた、と徳島県が明らかにした。23日時点の入所者数は172人。うち「調整中」は126人、「入所」は46人にすぎなかった。

「含めて」というには到底無理があろう。感染しても、療養を待たされている人が圧倒的に多いのである。にもかかわらず、県の発表はお構いなしだ。

そもそも調整に時間がかかりすぎていないか。収容人数は足りているか。専用施設として整備しながら稼働していない旧海部病院を受け入れ可能とするなど、県の発表には悪意を感じる。県民の疑問をかわす狙いはなかったか。

『武漢日記』から。〈都合のいい知らせだけを報告し悪い知らせは隠す、真相を庶民に明かさない、個人の尊厳を踏みにじる、こうしたことが、社会に巨大な損害を与え、七六日間もの封鎖をもたらしたのだ〉。

（2021・4・25）

アベノマスク

わが家の引き出しの奥深く、袋に入った未使用のマスクが2枚見つかった。「アベノマスク」とやゆされた布マスク。皆さんは活用しましたか？　政府が全世帯配布を始めたのは1年前のこと。

それにしても不評だった。小ぶりな布製で世界保健機関（ＷＨＯ）からは飛沫(ひまつ)防止効果を疑われ、1億2千万枚を配り終えたのは6月も末。マスク不足はある程度解消されていた。在庫切れに悩む高齢者施設などで重宝されたものの、使った国民は3・5％にとどまったのだから。

今や販売店で「品切れ」の表示はまず見掛けない。生産能力は3、4倍になっているとか。マスク狂騒曲は幻だったかのような落ち着きである。

中国頼りの輸入も見直しが進んでいることだろう。先の日米首脳会談では、中国に依存しない部品や製品の調達・供給網を整えることを確認した。騒動を再燃させないとの意思もあったに違いない。

何より忘れてならないのは全世帯配布に費やした260億円である。桁違いの税金がほぼ無駄に使われる愚策を、繰り返してはならない。

わが県のコロナ対策費に首をかしげる向きもある。例えば、8億5千万円の県費を投じて宿泊療養所に改修した旧海部病院。療養待機者が大勢いるのに活用されていないとは。釈明するあの顔、この顔のマスクに隠れた表情が、どうも気になる。

（2021・5・1）

取り残さない

またひとつ、いい言葉を拾った。時折、耳にしはするけれど、同じ県民が決意を込めて発すれば、輝きも一段と増す。

開校し1カ月が過ぎた県立夜間中学「しらさぎ中学校」の大住満寿夫校長が、本紙2日付のインタビューで述べている。「誰一人として取り残さない」。夜間中学とは「分かるまで教えるという教育の原点に返れる場」。生徒も先生もそれを味わってほしい—。

県立の夜間中学は全国でも初めてという。徳島市の校舎で1期生34人が学んでいる。生徒は意欲的で活気にあふれている、との記者のリポートも、まんざら大げさではないだろう。

同じ敷地にある定時制・通信制、徳島中央高校生の話を聞いたことがある。生徒といっても20代後半。中学時代につまずいた。高校卒業が結婚の条件と相手の親から注文が付き、仕方なく入学したのだが…。「勉強って、分かると面白い。あのころは気づかなかったけれど」

新自由主義、市場万能主義が中央に鎮座し、何でもかんでも自己責任、自助努力で済ませる。「誰一人として取り残さない」は現在幅を利かせている考え方とは真逆だ。教育の現場に限った話ではない。

猛威を振るう新型コロナウイルスはリーダーの資質や制度のゆがみまで白日の下にさらしている。「取り残さない」、その責任を、政治と行政は果たしているか。

（2021・5・7）

女性参政権

日本の女性が参政権を得、初めて国政選挙で一票を投じたのは１９４６年4月10日。翌47年5月3日の日本国憲法施行の1年前である。帝国憲法下ということになる。

女性解放運動は明治時代からあって、25年には「婦人参政権建議案」が衆議院で可決。貴族院では否決されたものの、後に国会議員になる市川房枝らの活動は、かなりの盛り上がりを見せた。

それは間違いないが、日本女性が参政権を獲得する直接の契機となったのは敗戦である。経済や教育の民主化、秘密警察の廃止、労働組合結成の奨励といった五大改革指令の一つとして占領軍が示した。

来歴に文句を言う人もいるかもしれないが、権利自体に異議はあるまい。しかし、その権利がいかに表面的か。経済協力開発機構（ＯＥＣＤ）の統計から如実に分かる数字を並べてみる。女性国会議員の割合は10・2％で最下位。女性閣僚は37カ国中36位。ＯＥＣＤの平均で30％を超す中央省庁の女性幹部官僚の割合は3・07％と壊滅的だ。

このような状態を放置して、恥じ入るところがなかった。21世紀に入っての日本の不振は、こういった点にも理由があるのだろう。何しろ人口の半分が、十分に力を発揮できる環境ではないのだ。

もし戦前に実現していれば、あの戦争すら様態を変えていたのではないか、と女性参政権75年に思う。

（２０２１・５・８）

孤独

われわれは皆、他人の不幸には十分耐えられるほどの強さを持っている、そうだ。希代の皮肉屋、『箴言集』で知られる17世紀の文人ラ・ロシュフコーの言葉だったか。政治家も務めたというこの人、友人は多かったのだろうか。

同じフランス、16世紀に活躍した思想家モンテーニュは言った。「孤独の生活の目的とは、もっと悠々気ままに暮らすということ、ただ一つである」。早々に読書と思索の日々に入った。日本、米国、ドイツ、スウェーデンの高齢者を対象にした内閣府の国際比較調査で、日本の60歳以上の3割が「親しい友人がいない」と回答したという。他国が1割前後だから、突出して多い。

孤独は人を鍛えるなどと言っていられるのも、鍛錬が必要な若いうちだけだ。悠々気ままなかつての貴族ならいざ知らず、そう望んでもむなしいだけのわれわれである。そこそこの年齢になれば、頼りになる友人が多いに越したことはない。

国際調査の設問はこうだった。「家族以外で相談や世話をしたり、されたりする親しい友人がいるか」。切羽詰まった状況が目に浮かぶようである。

他国との差はどうしてか、と考える。農村や地域から人を引きはがし、大量の社畜を生み出した20世紀企業社会の後遺症と言えないだろうか。はや20年がたつ21世紀には21世紀の処世訓があるはずだ。

（2021・5・14）

あいつ

「そうそう、あいつ、入院したんだよ」。学生時代の友人との久方ぶりのリモート飲み会で、二十数年ぶりに偶然、連絡を取り合うようになった「あいつ」の近況を報告した。「元気になりゃいいけど」「そやね」

「再会」のきっかけとなったSNSの写真に昔日の面影はなかったけれど、書き込みを読む限り、ヘーゲルの哲学を熱く語っていた痩身(そうしん)長髪のあの頃と変わらなかった。政治批判に社会批判。年くった頭には少々こたえる。

マスコミに殺されたに等しい大学教授の父親の名誉回復に奔走した正義漢。特急電車でにわかに催し、止めてくれと車掌に泣きついて一笑に付された、憎めないエピソードも多々持っている。

あいつが逝った、と飲み会の翌日、別の友人からメールが届いた。程なく大勢の仲間に広がった。いい情報も悪い情報も瞬時に流れる、あの頃は想像もしなかったネット社会に私たちは生きている。

若さとは時間の果てが見えない時期を言う。出会いより、別れが多い人生の後半戦。時間には限りがあると改めて思う。あいつにも会いに行けたのになあ。会った気になるのと実際に会うのは違う。

体調を気遣うと、「ありがとう」と返してよこした。それから何日とたっていない。「ホークスの連勝が止まってしまったぞ」。友人の惜別の言葉は、ネットでも届くまい。（2021・6・1）

政治とカネ

「政治とカネ」。そうには違いないが、いざ書いてみると収まりが悪い。議員辞職した自民党の菅原一秀前経済産業相の疑惑も、その類いだ。

時のスケールを長くとれば、昭電疑獄に造船疑獄、ロッキード事件、平成に入ってはリクルート事件にゼネコン汚職。政治家が地位と権力を使って私腹を肥やす、「政治とカネ」は大掛かりな贈収賄事件にこそ、ぴたりとくる。

前経産相の疑惑など大したことがない、と言いたいわけではない。例えば泥棒にも、石川五右衛門のような大盗賊もいれば、こそ泥もいる。どちらがすごいという問い自体、成り立たない。しょせん、どちらも盗人で、倫理的には同格だ。

前経産相には選挙区内の行事の際、祝儀や会費名目で現金を配布した疑いが浮上している。東京地検特捜部が近く、公選法違反の罪で略式起訴するとみられる。

参院選広島選挙区での公選法違反事件といい、いかにも小物がやりそうなこと。「政治とカネ」という言葉の持つ「大物感」からは遠い。ならば桜は、といった問題もあるが、端的に言えば、情けないの一言だ。

秋には総選挙がある。浜の真砂（まさご）は尽きるとも不祥事の種は尽きない、誘惑の多い世界である。他山の石とする現職、新人もいるだろう。言うまでもないが、顧みるべきは手口のつたなさではない。政治家としての心根だ。

（2021・6・6）

男性版産休

何げない言葉の薄皮を一枚めくってみると、自分の真意に気付くことがある。その真意である。一般化できる場合もあり、個人的な偏見にすぎない場合もある。今回は後者だろう。筆者の足らざる点、笑っていただきたい。

改正育児・介護休業法が成立した。子どもが生まれて8週間以内に夫が計4週分の休みを取れる「出生時育児休業（男性版産休）」を新設したのが目玉だ。企業に育休取得を働き掛けるよう義務付けてもいる。

8週で4週とは「えらく休みが多いな」と同僚に話しかけると、その人、この問題に詳しく、あれこれと説明してくれた。さなか、気付いた。

なぜ「えらく休みが多い」と感じたのか。冷静に考えてみれば、育児に休みはないはずである。父と母、半々とするなら、4週でも最低限の日数だ。「えらく」の薄皮の下には、生まれた子の面倒は、母親がみるのが当然との意識が潜んでいる。さび付いた思考の典型だ。

自己弁護にもならないけれど、こうした考えは根強い。想像に難くない。男性の育休取得率が約7・5％の低水準にとどまるのは、代替要員の確保以上に、職場環境に問題があるからではないか。

実は日本、制度だけなら先進国でも先の方を行く。「男のくせに」をぶっ壊さないと、せっかくの法律も機能しない。ましてや少子化に歯止めはかからない。

（2021・6・12）

日記文学

紀貫之『土佐日記』に始まる日記文学というジャンルがある。〈をとこもすなる日記といふものを、をむなもしてみむとてするなり〉。男の冗談から始まる。

その数十年後、藤原道綱の母は『蜻蛉日記』でこう書き出す。―世の物語は、どれもこれもうそばかり。いろいろあった私の人生の方がよほど面白いでしょう。とはいえ、もう昔のこと。まあいいか、という記述も多くなりました―。

冒頭で〈さてもありぬべきことなむ、多かりける〉と断ってつづる、回想記である。虚飾や脚色も交じっていよう。

先年亡くなった作家田辺聖子さんが終戦前後に書いた日記が見つかった。1945年4月1日から47年3月10日までの日々。既に公表されている部分は、読まれることが前提の文学と違って、率直だ。

45年8月15日、終戦の日。「何事ぞ！　悲憤慷慨その極を知らず。無条件降伏。嗚呼日本の男児何ぞその意気の懦弱たる。何ぞその行の拙劣たる」。まだ17歳、時代の空気と無縁ではいられなかったのだろう。

はかない身の上を、かげろうのようだと嘆いた道綱の母とは異なり、人生の荒野を自ら切り開く決意を力強く記した下りもある。「来年も、勉強して小説を書こう。私はもう、この道しか、進むべき道はない」（46年大みそか）。作家田辺聖子、虚飾も脚色もない18歳の原点である。

（2021・6・13）

差別と分断の壁

機械工に大工、船乗りに靴屋、農民…誰もが自分の歌を力強く響けとばかりに歌っている。〈おれにはアメリカの歌声が聴こえる、いろいろな賛歌がおれには聴こえる〉飯野友幸訳。

19世紀、米国の勃興期を代表する詩人ウォルト・ホイットマンは若々しい国の息吹を働く者の歌で描いてみせた。民主主義を鼓吹した人ではあるけれど、抜け落ちている部分がある。作家ラングストン・ヒューズはそう指摘し、返答歌を書いた。

〈ぼくもまた、／アメリカをうたう。／ぼくは色のくろい兄弟だ。／お客が来ると、／台所で食事をしろと／かれらはぼくを追いやるが、／ぼくは笑い、／よく飯をくい、強くなるんだ（中略）ぼくもまた、／アメリカなのだ〉木島始訳。

「ぼく」は決意する。明日は客がきてもテーブルに座り続ける。そうすることで差別や不平等な扱いを克服していく。現実はつらくても、きっと明るい未来がある。

ヒューズがこれを書いたのは1926年。南部オクラホマ州タルサ市で白人暴徒が黒人を襲い、推定300人以上が殺された事件から5年しかたっていない。なおも言えば100年たっても、差別と分断は現在進行形だ。

ヒューズは楽観的すぎたのか。そうではないだろう。コロナ禍ではっきりした。差別と分断の壁を乗り越えない限り、人類に明るい未来はない。

（2021・6・22）

立花隆さん

ジャーナリストの立花隆さんは、ことばの力を信じていた。こんなエピソードを語っている。ある女性に宣言した。これから送るラブレターが原稿用紙にして計千枚に達する前に、あなたを説き伏せてみせる。それから2年、あと数枚で千枚に届こうとしたとき、恋は破れた。一人の読者に一つのテーマを語り続けながら、まるで説得できない。物書きとしての自信を失い、一時はバーの経営者になった。

この話、どこかおかしい。男と女。説得だ？　そんなものではないだろう。自身も書いている。若い頃は鼻持ちならない自信を持つものだ。1970年代初頭、立花さん、まだ30代前半。それから2年、74年のことである。田中角栄元首相の資産形成の闇、いわゆる「金脈問題」を取材し、『文芸春秋』に発表、失脚のきっかけをつくった。今太閤と呼ばれた圧倒的な権力者に対抗できたのも、ことばへの信頼あってこそだろう。

〈日本のジャーナリズムの大勢は救い難いまでに日和見主義、大勢順応主義的である。田中強しとみるや、田中にあえて逆らうまいとするどころか、田中に尻尾をふろうとする人間が多くなる〉『田中角栄研究全記録』講談社。

文春砲にやられっぱなしの原因は明白だ。今や泉下の客となった立花さんの言葉に、わが身を振り返らない新聞記者はいないはずである。

（2021・6・25）

ジャガイモ

ジャガイモの栽培が始まったのは紀元５００年ごろとされる。南米、ペルーからボリビアにかけてのアンデス山岳地帯、４千メートル級の高地を古里とする。欧州に伝わったのが16世紀後半。当初は観賞用だったが、荒地でもよく育ち、食用作物として定着した。

日本へは江戸時代、インドネシア・ジャカルタからオランダ船がもたらした。ジャガタライモ、つづまってジャガイモなり。代表的品種の「男爵」は輸入した事業家・川田龍吉の爵位にちなむ。

再び欧州。１８４５年、アイルランドの貧しい農民の主食となっていたジャガイモに疫病が発生した。翌年もその翌年も。飢餓が広がった。

当時支配していた英国が支援を怠り、１００万人が死んだ。故郷を見限り新天地を目指した人も多い。８００万を超していた人口が、10年で６５０万人に減った。アイルランド人移民の子孫は、米国で約４千万人に上るという。ケネディ、クリントン両氏をはじめ、大統領も輩出している。

18世紀のフランスでは、王妃マリー・アントワネットが普及に一役買った。ドイツでは19世紀、天候不順と戦争による荒廃から国民を救い、発展の礎を築いた。ジャガイモは１５００年かけて世界の様相を変えた。

新型コロナは、それを数年でやってしまう可能性がある。私たちは、グローバル化した世界に生きている。

（２０２１・７・９）

ジム・クロウ法

人種差別が当然だったころの米国で、法の番人であるはずの裁判所は何をやっていたか。それなりの理屈を唱えていたのである。「分離はしても平等」といった考え方を打ち出した1896年の連邦最高裁判決にさかのぼる。

施設や設備が同等なら人種隔離は合憲とした。これを根拠に白人と黒人の分離を正当化したジム・クロウ法が次々と制定された。無論、それぞれの施設が同等であるはずはなかった。

新たな判断が示されたのが1954年。黒人であることを理由に娘の入学を拒まれた親が、教育委員会を訴えた裁判である。「分離された教育は不平等だ」とし、「分離はしても平等」の詭弁(きべん)を明確に否定した。ブラウン判決という。

「21世紀のジム・クロウ法」。バイデン大統領の認識が正しければ米国の民主主義は今、重大な試練に直面している。共和党が優勢な州で、非白人の投票権を事実上制限する州法の制定が進んでいる。今年だけで、17州で28本と指摘される。

期日前投票や郵便投票の厳格化といった内容で一見、人種差別と関係ないが、こうした投票は民主党支持が多い非白人がよく利用する。それを知っての上での動きなのである。狙いは明らかだ。

かわいいのはわが身だけ。他人は知ったこっちゃない。分断を説いたトランプ前大統領の影響力は、いまだに健在である。

(2021・7・19)

「何でや」

福祉ドキュメンタリー映画の俊才・故柳澤壽男監督の『夜明け前の子どもたち』を見た。50年以上前、1968年の作品である。徳島市出身の作曲家三木稔さんが音楽を担当している。

障害児から発達する権利を奪ってはならない。どんなに歩みが遅くても社会がこの権利を保障しなければならない——。そう考える人たちが創設した重症心身障害児施設の先駆け、「びわこ学園」（滋賀県）の日常を追う。

先例がない。公的支援は貧しい。職員が足りない。もがき続けているうち、カメラは療育活動が実った瞬間に立ち会う。視覚と聴覚が不自由で寝たきりの、無表情だった子が笑った。

相模原市の知的障害者施設「津久井やまゆり園」で、入所者ら45人が殺傷された事件から5年が過ぎた。「生きるに値しない命がある。障害者は周囲を不幸にする存在だ」。そう言ってはばからない元職員の犯行だった。

障害児を取り巻く環境は大きく変わった部分もあるけれど、社会の底には変わらない流れがある。事件が不気味なのは、個々人の内なる差別を白日の下にさらしたようにも見えるからだろう。

能力主義、効率、生産性。人の価値を数字で測ることに慣れきってしまった現代社会。この50年、差別の根は広がり続けてきたのではないか。映画は子どもたちの叫びで終わる。「何でや、何でや」。

（2021・7・28）

1行の報告

1945年7月30日付の本紙朝刊の隅に、宮内省発表の小さな記事が載っている。不行跡がたたって処分された蜂須賀正氏侯が爵位返上を申し出て許された、とのこと。

空襲警報の発令で阿波中島駅（阿南市）に止め置かれた乗客は、華族の醜聞を世間話のさかなに気を紛らわせていたかもしれない。徳島発牟岐行きの汽車が再び動きだしたのは午後4時ごろだったという。

目と鼻の先の那賀川鉄橋で悲劇は起きた。米空母ハンコックの艦載機F4Uコルセア2機に急襲されたのである。「海賊」という名のこの機は水難救助機の支援が目的だったが、12・7ミリ機銃6門、爆弾にロケット弾も搭載していた。

国立国会図書館デジタルコレクションで読める行動報告書の記述は極めて事務的だ。部隊は午後2時に離陸、4時間後に帰還している。結果はタイプライターでわずかに1行。「機関車は機銃掃射でダメージを受けた」

列車は鉄をも貫く銃弾を繰り返し浴びた。「車内は一面肉片が散乱し血の海と化した」（平和之碑）。空襲の死者32人、負傷者約50人。この事実を1行で済ませられるのが戦争なのだろう。

2日後、8月1日付の本紙は「この試練に克（か）て」と題した社説で、「われわれは必ず本土決戦において勝利をかち得るであらう」と主張した。敗戦まで半月。もはや、夢物語だった。

（2021・7・30）

早さと遅さ

放射能の単位ベクレルは、初めて放射能を確認したフランスの科学者アンリ・ベクレルにちなむ。とてつもない爆弾ができるのではないか、と騒然となったのは約40年後の1938年、ドイツの物理学者がウランの核分裂を発見して以降のことである。

原子核に中性子を当てると、二つに分裂する。核分裂で発生した中性子が、また別の原子核を分裂させる。そしてまた…と、一瞬のうちに膨大な連鎖反応が起きれば、桁違いのエネルギーが生じる。イタリアからの亡命学者が米の学会で報告したのは、ナチス・ドイツが世界に戦端を開いたころだ。

兵器としては疑問符がついていた。ウランでも核分裂するのはウラン235だが、自然界にはほとんどない。爆弾も巨大になりすぎる。

ウランから235を抽出し、濃縮すれば爆弾は小型化できると試算したのは英国の学者だ。これを受けて原子爆弾開発を目指すマンハッタン計画が動きだした。

米ニューメキシコ州の砂漠で、初の核実験が行われたのは45年7月16日。核分裂の発見から、わずか7年後である。ナチスの脅威があったとはいえ、大量破壊兵器開発の、その早さに驚く。

なぜその速度で平和な世界が築けないのか。核兵器廃絶の歩みの、その遅さに驚く。禁止条約すら袖にするこの国の、その覚悟のなさに驚く。戦後76年、8月6日。（2021・8・6）

新時代の阿波踊り

２年ぶりの前夜祭が、きょう催される。15日までの４日間、「選抜」と「グランドフィナーレ」に縮小されての徳島市の阿波踊り。現在のコロナ下、致し方あるまい。まずは感染予防を徹底し踊りきってほしい。

正直に言って、待ちに待ったの祝祭感には乏しい。街が踊らない異例の雰囲気の中、箱に閉じ込められることをよしとしない、祭りの精霊の躍動を、体の奥に感じながらの舞台となるだろう。４００年に及ぶ長い歴史、そんな年もあると割り切るほかはない。

踊り子たちにとっては、乗り越えるべき試練である。十分な環境ではないからこそ、学ぶべきものも多いはず。これから４日間の経験を踊りの革新へとつなげられたら、新型コロナウイルス「第５波」の中で開催した意味がある。

吉成葭亭（かてい）が描いた「阿波盆踊図屏風（びょうぶ）」を思い浮かべる。衣装も鳴り物も、手も足も気ままに、新町橋で踊りに興じる人々は、底抜けに楽しそうである。何かと不自由だった江戸時代の方が、はるかに自由に見える。

コロナ前の阿波踊りが絶対ではない。もっと自由に、もっと生き生きと、見る者も踊る者も、さらに楽しくなる方法はいくらでもあるはずだ。

徳島県民の宝である。フィールドを県全域に広げ、より磨きをかけるのもいいだろう。新時代の阿波踊りを考える、スタートの４日間としたい。

（２０２１・８・12）

小さな命

雨は誰の上にも降る。言われるまでもない、当然の事実である。「とはいえ」と、かつて、中国の物書きは続けた。〈雨はけっして公平とはいえぬ。もともとが不公平な世の中の上に降るからだ〉老舎『駱駝祥子（ロートシアンツ）』。傘を手にできる人と、できない人がいる。世を覆うコロナ禍、その困難は誰の上にも降り注いでいる。「とはいえ」と、ここでも書かねばならぬ。千葉県柏市で起きた新生児死亡事件に怒りが収まらない。

　母は新型コロナウイルス感染が分かった11日から、一人で自宅療養中だった。保健所が把握したのは14日になって。受け入れてもらえる病院がなく、17日に自宅で出産。生まれた男児は、搬送先の病院で死亡が確認された。

市は「コロナを診た上で、産科にも対応できる医療機関は非常に限られる」と説明した。そうだとしても、昨日や今日始まったパンデミックではない。重症化リスクの高い、妊婦の入院先が確保できないとは、どうかしている。

危機克服へ懸命になっている人たちをつかまえて、あしざまに言いたくはないけれど、見殺しにされた小さな命に代わって、この国の無策を、腹の底からののしらねばならぬ。

誰かの命が失われなければ問題の所在に気付かないとは、もはや政治とはいえまい。小さな声を聞きもらすのが常とはいえど、あまりにひどくはないか。

（2021・8・21）

療養中の同僚へ

２０１４年東京ドーム、ローリングストーンズのコンサート、メンバーが背中を押して花道へと連れ出した。やめなよ、といった感じの照れ笑いが印象的に残った。生涯に一度だけ見たチャーリー・ワッツさん、バンド結成から半世紀以上がたってもキュートな人だった。

ボーカルのミック・ジャガーさんに、ギター弾きのキース・リチャーズさんとロン・ウッドさん、破天荒な3人を長年、主張しすぎない的確なドラムスで、確かに支えてきた。ロックよりジャズ、英国紳士然としたふうぼう、愛妻家。

いずれもストーンズのイメージからは遠いけれど、メイン・ストリートのならず者が大暴れできる音楽のリングをつくる。この人あって初めて、このバンドがある。その彼がロンドン市内の病院で、安らかに逝った、との発表があった。80歳、まだまだ活躍できたのに。

音楽好きの同僚から、こんな話を聞いたことがある。いかにも芯の強そうな人らしいエピソードだ。

泊まったホテルの内線電話で、酔っぱらったジャガーさんにからかわれたらしい。「俺のドラマーはどこだ」。スーツを着込んで部屋に押しかけ、言った。「俺の歌うたいはどこだ」。そして顔面に一発。

裏を取ろうにも、同僚は病気療養中。早く良くなれ、音楽の話をしようぜ。そう言えと、ワッツさんが言った気がした。

（２０２１・８・29）

過信は禁物

老いの学問とか、老いの手習いは感心されるのに、ちょいと冒険心を起こし、老いの木登りとなれば、途端に非難される。年寄りの冷や水、年寄りの力自慢などなど、底意地の悪そうな類語も数々、年寄りと釘(くぎ)頭は引っ込むがよし、といった調子である。

年齢がそんなに問題か。老いてはますますさかんなるべし。年問わんより世を問え、と声高らかに先日、久しぶりにバイク屋を訪ねると、店のあちこちに、我もまた、といった感じの白髪交じりの男たち。

コロナで海外の工場が十分に稼働せず、新車の入る見通しが立たない。加えてバイクブーム。旧知のスタッフが言う。「売りたくても、もう売るバイクがない」。人気中古車は、若者にはまず手が出せないほど高騰している。

休日の道の駅は高額バイクの見本市。さながら年長者のサロンである。若い頃の気持ちを再びというリターンライダーも多いそうだ。

乗り手が増えたからか、事故の記事も、目につくようになった。29日には、神山町で61歳の男性が亡くなっている。年齢が原因とは限らないが、注意した方がいい年代ではある。

最近のバイクはよくできていて、まだまだいけそうな気がするけれど、年には勝てぬ。無理と違反、過信は禁物である。救急車で運ばれること2回、幸運にも生きている50代の言うことだから間違いない。

（2021・8・31）

新しい火

ライト兄弟は飛行機を、世界に永遠の平和をもたらす最終兵器と構想していた。高空から、相手の動きがありありと分かるようになれば、互いに攻撃もできまい、と。

実際は、二度にわたる大戦で、世界に徹底的な破壊をもたらす最強兵器となった。そのありさまをまざまざと見た弟オービルは嘆いた。それでも発明を悔いてはいないとし、こんなふうに話している。

〈飛行機とはまさしく火のようなものなのだろう。火がもたらした恐ろしい破壊はことごとく恨むが、人類にとって火を使うことを見いだしたのは誠にすばらしい〉『ライト兄弟』草思社。要は使いようだ。21世紀のライトフライヤーである「ドローン」にもそれは言える。

瀬戸内海の粟島で、ドローンの定期運航が始まった。対岸の香川県三豊市須田港との間を1日3往復、1キロの荷物を積み片道7分半、自動運転で結ぶ。

島の人口は約170人。高齢化が進んでおり、やがて船便がなくなる可能性もある。そうなっても生活用品や薬が届けられるように。過疎の現場をドローンが支える。活躍の場はさらに広がってこよう。

平時に有用な機械は、戦場では有用な兵器となる。アフガニスタンでは無人機がテロリストの掃討作戦に従事している。人類が手にした新しい火は、恐ろしい破壊を生みかねない。何らかの規制が必要だ。

（2021・9・1）

あれから20年

資本とは、換言すればお金のことである。資本主義とは、すなわちお金主義。物事の価値は、すべてお金に換算できるとする考え方である。米中枢同時テロが起きたのは、資本主義が社会主義との角逐に勝ち、わが世の春を謳歌(おうか)しはじめたころだ。

2001年9月11日、徳島県人2人を含む3千人近い人々が、ニューヨークの世界貿易センタービルなどで犠牲になった。乗っ取った旅客機を激突させる、卑劣な手口だった。

旧約聖書にあるバベルの塔の物語によれば、かつて人間は、同じ言葉で話していた。やがておごり高ぶり、天に届く塔を作ろうとしたため、怒った神は、互いに意思疎通できないよう言語を乱し建設を阻んだ。

テロは、グローバル化の波に洗われ、お金という一つの言葉で話し始めた世界を揺るがした。命の重さを鴻毛(こうもう)ほどにも感じない過激派組織にいささかの価値もないが、事件は、多様な言語でできている世界の現実を悲劇的な形で示した。

何が必要か。何が公正か。コロナワクチンの3回目接種を進める国がある一方で、途上国では医療者分すら十分確保できていない。宇宙に旅立つ人がいる一方で、明日の食事に事欠く人がいる。例えば、これらは公正か。同時テロから20年。私たちは何を学んだか。

暴力は貧困に宿る。分かっていながら格差はむしろ拡大している。　（2021・9・11）

改革と革命

文字に起こせばその姿、よく似てはいるものの、その実、決定的な違いがある。今あるものをよりよく、というのが「改革」で、車で言えばモデルチェンジ。「自民党をぶっ壊す」と叫び、自民党を立て直した政治家がいたけれど、まさに改革派、矛盾はない。

対して「革命」は、社会を根本から変えてしまおうというのである。モデルチェンジでは飽き足らない。この際、全く別の車にしてしまわないと気が済まない。そんな人物の一人が、英国生まれの思想家トマス・ペインだ。

1776年1月、独立戦争時の米国で『コモン・センス』を発行し、英国の植民地支配を断ち切れ、と民衆を鼓舞した。それが常識だ、米国の大義は全世界の虐げられた者の大義だ、と。最終的に50万部が売れたというから、いかに影響力があったか。米独立宣言は、その年の7月4日のこと。

10年ほどで欧州に戻りフランス革命（1789年）を擁護した。王政を憎む、根っからの共和制支持者だった。それでも王の処刑には反対し、投獄されてしまう。

執行人が、監獄に付けられた印を見落として死刑を免れ、合衆国に戻ったものの、これも世の常、もはや居場所はなく、信念を貫いた人生は不遇のうちに閉じた。

今、時代が必要としているのは、変わり身の早い改革派か、愚直に生きたペインのような人物か。

（2021・9・16）

宇宙の旅

漱石に言わせると、汽車ほど20世紀の文明を代表するものはない、そうだ。何百という人間を同じ箱へ詰めて轟（ごう）と通る。詰め込まれた人間は皆、同じ速力で、同じ停車場にとまり、同じように蒸気の恩恵を受ける。

要するに汽車ほど個性を軽蔑したものはない。現在の文明も同様だ。〈人は汽車へ乗ると云う。余は積み込まれると云う。人は汽車で行くと云う。余は運搬されると云う〉『草枕』

21世紀を代表する乗り物は民間宇宙船となるかもしれない。米スペースXの宇宙船クルードラゴンが、地球周回の旅をした。実業家ら4人を乗せ、高度約400キロの国際宇宙ステーションより高い、585キロの軌道を1日15周。

7月には米の2社が有人飛行を成功させている。このときは高度80〜100キロと、宇宙に出たか出ないかで、とんぼ返りした。今回は3日がかりの本格派な旅だ。

漱石の嫌った汽車の運賃は新橋―大阪が3円97銭（明治35年）。公務員の初任給が35円のころだから、庶民にも手の届く金額だった。三四郎は九州から汽車で上京したし、清も停車場へ坊っちゃんを見送りに行った。

地球を周回した4人の旅費は「2億ドル（約220億円）よりは少ない」という。とてもじゃないが、支払えるのは一握りの金持ちだけだ。格差文明を象徴するかのような2021年宇宙の旅である。

（2021・9・19）

共生社会

ショッキングな数字である。自宅の隣に身体障害者の施設や事業所を建設することに「賛成」の人は、３割にとどまるという。７カ国・地域の市民を対象にした大阪市立大大学院の野村恭代准教授のネットアンケートで分かった。

調査時期に注目したい。７～８月とつい先日のこと。東京パラリンピックの盛り上がりがいかに表面的か、冷や水を浴びせられた思いだ。精神障害者施設にいたっては、身体の33％よりもさらに下がって22％。７カ国で最低だった。

身体の場合、日本、米国、英国、スウェーデン、台湾、中国、インドのうち、最も理解があるのはインドで69％、比較的低い英国でも46％が賛成している。精神は、おおむね下がるものの、中国の28％、台湾の25％にも届かない。最高はインドの61％。

日本での反対理由は「施設や利用者への危険視や不安」「治安上の不安」「住環境の悪化」と想像通り。どうしてこうなるか。調査結果から明らかだ。日本では、半数の人が障害者と関わったことがない。

障害者が住む国と住めない国、二つの国があるかのよう。本来一つであるべきなのに。

パラ選手のような人ばかりが共生社会の担い手ではない。主役となるのは、決して五輪選手にはなれない私たちと同じ、圧倒的多数の普通の障害者だ。祭りの後、少しは数字は上がっただろうか。

（２０２１・９・21）

自由な時間

選挙を巡るこのよく知られた寸言は、フランスの思想家ルソーが『社会契約論』に記したものだ。

〈イギリスの人民はみずからを自由だと考えているが、それは大きな思い違いである。自由なのは、議会の議員を選挙するあいだだけであり、議員の選挙が終われば人民はもはや奴隷であり、無にひとしいものになる〉中山元訳。

主権者が主権者であり得るのは、選挙期間中だけだというわけである。確かに、そのときはお願いもされるけれど、終わってしまえばやりたい放題、説明もしてもらえないじゃないか。代議制には問題がある、といきりたったところで、それに替わる方法があるだろうか。

ギリシャの昔に戻って、抽選方式も悪くはないが、1億2千万を超す人々が暮らす国の統治制度としては、現実的ではない。これまでで最もましだからと、多くの国が民主主義を選ぶのには、相応の理由がある。

岸田首相も説くように、その民主主義が危機にある。要因の一つは、若者の関心が低いことだ。本紙の100人アンケートでも「選挙に行く」と答えた高校・大学生らは39人にとどまった。

ルソーの警句はこう続いている。〈人民が自由であるこの短い期間に、自由がどのように行使されているかをみれば、自由を失うのも当然と思われてくるのである〉。きょう衆院選が公示される。

（2021・10・19）

学校の正義

小説『坊っちゃん』を貫くのは、正義である。新任教師が、意地悪の限りを尽くす卑劣漢・赤シャツ教頭をやり込める勧善懲悪の物語。漱石は、他の作品ではあまり見かけることのない、爽快な幕切れを用意した。

正義を実現するのに、学校はおあつらえ向きの舞台だ。なのにどうだろう。容疑が事実なら、そこで絵に描いたような不正が行われていたことになる。東京地検特捜部が、所得税約5300万円を脱税したとして、所得税法違反の疑いで日本大学理事長の田中英寿容疑者を逮捕した。

医学部付属板橋病院の工事などを巡り、背任罪に問われている元理事らから、1億円を超す資金提供を受けたという。特捜部が家宅捜索した際には、自宅から1億円を超す現金が見つかった。

出所の怪しい1億円が転がっている。それ一つとっても大学経営者として失格だ。新型コロナでバイトもままならず、困窮する学生が少なくない中での蓄財である。学生諸君、遠慮しないでいい。金返せ、と声を上げたまえ。

草創期の同志社で、生徒と学校が対立。校長の新島襄は、責任は自分にあると自らの左手を、手にした杖（つえ）が3本に折れるまで打った。明治にはこんな教育者がいた。

学校を食い物にする事件はしばしば耳にするけれど、「自責の杖」のような話はあまり聞かない。今の教育に熱はあるか。

（2021・12・1）

現代の歩測者

紀元前3世紀、エジプトのシエネという町に、夏至になると底まで光の届く井戸があった。それはつまり太陽が真上に来ているということである。

古代最大の図書館・アレクサンドリア図書館の館長エラトステネスが思いつく。地球は丸い。アレクサンドリアで測れば多少ずれているはずだ。そのずれは、地球の中心から双方の町に線を引いたときの角度に等しい。その角度が分かれば、シエネ―アレクサンドリアの距離が、地球一周の何分の一になるか算出できる。

そう考えて実際に計測し、全周3万9700キロと推定した。最新機器による測定では、赤道で全周4万75キロとされるから、ほぼ正しい答えにたどり着いている。

ここで疑問が生じる。約800キロにも及ぶ町間の距離を、どうやって測ったか。当時、同じ歩幅で歩けるよう訓練を積んだプロの「歩測者」がいたらしい。丹念に歩数を数えたのである。

彼らの存在があって初めて、館長のひらめきは形となった。歩測者がいいかげんだったなら、推定値は正答から懸け離れていたはずだ。

国土交通省が、建設業者の受注に関する国の統計調査のデータを書き換えていたことが分かった。政策判断の基礎になる国内総生産（GDP）の算出に影響した恐れがある。エラトステネスもあきれる、現代の歩測者たちの不誠実な仕事ぶりである。

（2021・12・17）

「招かれざる客」

できすぎた人々の、できすぎた振る舞いに、鼻白むところがないわけではない。米映画「招かれざる客」が公開された1967年ごろ、州によってはまだ、黒人と白人の婚姻は禁じられていた。そんな社会に切り込むのである。肩に力が入って当然だ。

先日亡くなった俳優シドニー・ポワチエさんは、スクリーンの中の、粗野で暴力的な黒人像を大きく変えたとされる。黒人で初めてアカデミー賞もとった。この映画でも、知的で温和、身のこなしも洗練された、世界的に活躍する医学博士を演じている。

博士から結婚の意向を伝えられた娘の父は、リベラル系新聞社の社主。人種差別の解消を信条としながらも、「世間は冷たい。偏見はどこにでもある」と反対する。博士の父親も、二人の苦労を思いやり、認めようとはしない。

国際的な医師と、金持ちの一人娘の組み合わせは、現実感に乏しいけれど、黒人と白人の結婚は当時、雲の上の話にでもしない限り、話として成立しなかったのだろう。

映画の封切りから50年以上がたち、よくも悪くも、時代はもう少し複雑になっている。人種差別はなお残り、経済格差も広がっている。

ようやく葛藤を脱した娘の父が思いを語るラストは、何度見ても胸が熱くなる。冷たい雨もいつかやむ。世界を変えられるのは、そう信じて歩き続ける人だけだ。

（2023・1・11）

捨てない生き方

日本語には「片付け」という言葉がある。連れ合いから口やかましく言われて思い出した。当方、「断捨離」とは正反対、物欲解放主義者である。がらくたに囲まれていても、苦にならない。

ただ、このコロナ禍である。必要な、最低限のモノだけで暮らす、簡素な生活に心がひかれないでもない。モノへの執着も年貢の納め時か。

そう思いかけたとき、援軍が現れた。本紙文化面に「新・地図のない旅」を連載中の作家五木寛之さんである。新著は、ずばり『捨てない生きかた』(マガジンハウス新書)。捨てない、にも、すてきな道理がある。

〈必要を満たすだけで、人は生きていけるのか。「不要不急」に意味はないのか。〉〈取るに足らない小さなモノであっても、まず自分のところにやってきたという物語、自分の身のまわりに何十年となくあるという物語が必ずある〉

モノを捨て去ってしまうということは、まつわる記憶も、もっと大きな、時代の記憶、すなわち歴史をも捨て去ってしまうということである。この国は、そんな経験を繰り返してきたではないか。

若者には未来がある。しかし未来しかない。人生も半ばを過ぎれば下り坂。寄る年波にはあらがえないけれど、良くも悪くも、豊かな過去がある。捨てることはない。芳醇(ほうじゅん)な香りのする知恵に変わっているかもしれないのに。

(2022・1・25)

真っ白な虫

薄手の人、厚手の人、色とりどりの人、その辺はそれぞれに違うけれど、年を取るにつれて一枚一枚、人は衣をまとっていくものである。大人になる、とは、地金が隠れるほどに重ね着ができた状態を言う。

さなぎから抜け出たばかりの真っ白な虫。作家西村賢太さんの印象をこう語っても、同意してくれる人は少ないかもしれない。こざっぱり、からは縁遠い人だった。

『苦役列車』で芥川賞。俳優森山未來さんの主演で映画化された。本人は気に入らなかったようだが、学歴もなく金もない、卑屈で気弱な主人公・北町貫多の性格は強調され、青春群像劇の要素まで盛り込んで、小説以上に胸が悪くなる。胸が悪くなるほど面白い。

ジャンルで言えば、私小説に入る作家である。日雇い仕事で生計をたて、夜遊びに興じ、酒が手放せない。周囲にかけた迷惑を含め、モデルは自分自身だ。「破滅型」といっても、戦後の太宰治のような気取り半分のインテリとは別物、本物。

作中を、命が抜き身で歩いている。衣を脱ぎ捨てたときの己の姿ではないか。そう自問しない読者はいないはずだ。

『落ちぶれて袖に涙のふりかかる』で貫多に言わせている。「小説書きとして、終わりたかった」。願いは成就したけれど、この先どれほどの作品を残せたか。54歳。無二の才能の早すぎる昇天が惜しい。

（2021・2・12）

世界を救った男

ロシアのスタニスラフ・ペトロフさん＝２０１７年5月、77歳で死去＝は、「世界を救った男」と称された。危機に直面し、何かをなしたわけではない。逆に、何もなさない、と決めた勇気こそが人類を救った、希有な人である。

ソ連軍中佐として核攻撃の警戒任務に就いていた１９８３年9月、計5発のミサイルが飛来中との警報を確認した。本来ならすぐさま上官へ報告し、米国に対する報復攻撃を始める。だが、そうはしなかった。

たった5発だって？　相手を壊滅させる「相互確証破壊」の考え方に基づけば、あり得ない。核保有国による先制攻撃だとしたら、何百発ものミサイルが襲いかかってくるはずだ。衛星監視システムの誤作動に違いない。

程なく推論の正しさが証明されたものの、警報を却下した時点では「熱いフライパンの上に座り込んだように感じた」と後の取材には答えている。ともあれ、彼の決断で核戦争は回避された。

ロシアのウクライナ侵略に際し「核共有」を議論すべきだとの主張が出てきた。悪乗りと言うほかない。核戦略の不安定さは、糸の上に乗るやじろべえにも似ている。軽々に力をかければ転落してしまう。

勇者の末路が輝かしいとは限らない。ペトロフ中佐は手順に反したとして軍紀違反に問われ、冷遇された。それが軍隊というもののようである。

（２０２２・３・２）

音楽よ届け

こんなときだからこそ、音楽を聴こう。1989年のベルリンの壁崩壊と、英ロック歌手デビッド・ボウイさんの関係は語り草である。壁は歌声まで遮れない。壁際で開いたコンサートで、壁の向こうの東ベルリンへ伝えた「自由」が、どれほど市民を勇気づけたことか。

「レゲエの神様」ボブ・マーリーさんの曲を口ずさむことが増えたという人もいるかもしれない。自由と平和は歌だけにとどまらない。彼自身、実際に母国ジャマイカの政争をいさめようとして銃撃され、傷も癒えないままステージに立ったエピソードを持っている。

みんな自由だとはいうけれど、本当は貧しさに縛り付けられている。「金を作るだけの機械になっていることが、分かっていないんだ」。心地よいリズムに乗せて真理を語る。世界に信奉者は多い。

ウクライナを踏みにじっているロシア兵にも、きっとファンはいるに違いない。そんな兵士に届けばいい。侵略のための銃を捨てて、「一緒に歌わないか、この自由の歌を」。

平和を願う多くの場面で聞こえてくるのが、ジョン・レノンさんの「イマジン」である。「想像してごらん」で始まる歌詞が、平和な未来を描きだす。

どれだけ試練を乗り越えれば、平穏な世界が来るのだろうか。砲声におびえながら、音楽に耳を傾けているウクライナの人たちがいる。

（2022・3・10）

暗闇の中へ

社会人になる君の、門出を祝ってひと言。言葉というより、物語、トルコの笑い話である。副題に「知恵ばなし」とある。ばかばかしさの中にも、いくらかの真理が紛れ込んでいるのだろう。以下は東洋文庫『ナスレッディン・ホジャ物語』による。

どのくらい昔のことか、ホジャ氏、家の中で指輪をなくしたのだそうだ。懸命に探してはみたが、見つからない。何を思ったか、今度は外へ出て、家の周囲をうろうろ。

隣人が不思議がって尋ねた。「家ん中でなくしたんやろ。何で、家ん中を探しなさらん」。胸を張って、こう答えたという。「中はひどう暗うてなあ。何も見えん。じゃで、ここを探しますわい。明るくて見通しも利きますでな」

いくら見えたところで、である。見当違いの場所を探していては、見つかるはずがない。彼自身、気づいていたかもしれない。「探すこと」が、いつの間にか、自己目的化していた、と。

言うもおろかな行為である。そうではあるけれど、仕事を始めてみれば、君もすぐに分かる。歩きやすそうな道の入り口には、蜜があふれている。自戒を込めて言えば、ホジャ氏を笑える人は、それほど多くない。

この混迷の世紀である。次の時代を開く鍵は、簡単には手に入らない。探すべきは指輪と同じ、暗闇の中だ。勇気を振り絞って見えない場所へ進め。

（2022・3・31）

鳴潮書き写しノートが使えます
（この本の2014年1月から現在の鳴潮ノートに対応しています）

教師だった父は、防衛隊に召集されて死んだ。まだ30代だった。女学生だった姉は、ひめゆり部隊に加わり二度と戻って来なかった。まだ16歳だった。沖縄戦から71年がたつ。それなのに、と思う①。

女性暴行殺害事件に抗議する「県民大会」で出会った沖縄市の安里俊子さん②(72)が、抑えきれない怒りを語ってくれた。一体、何度繰り返されるのか。沖縄の人間は、いつになったら安心して生活できるのか。

日　曜日

鳴潮

教師だった父は、防衛隊に召集さ
れて死んだ。まだ30代だった。女学
生だった姉は、ひめゆり部隊に加わ
り二度と戻って来なかった。まだ16
歳だった。沖縄戦から71年がたつ。
それなのに、と思う▼女性暴行殺害事件に抗
議する「県民大会」で出会った沖縄市の安里
俊子さん(72)が、抑えきれない怒りを語って
くれた。一体、何度繰り返されるのか。沖縄
の人間は、いつになったら安心して生活でき
るのか▼1972年の復帰後、米軍人・軍属

①改行部分の句点を取り▼を入れてください。

②文中の（　）「　」は1マスずつ使います。ただ、年齢表記の(72)や＝当時(24)＝の(24)は、(72)(24)と2マスに収めます。年齢以外の（　）は（4日まで）と1マスずつ使います。

コラムの味

新聞コラムと言えば「天声人語」。大学受験に出るぞ、と脅された影響もあるだろうか、すぐに浮かんでくる。「余禄」もなじみがあり、前者とは違うタッチで読みやすい。「編集手帳」は余り身近ではないが、しっかりした読後感がある。

私の新聞の読み方が普通なのか、変わっているのかは分からないが、一面から順番に見る。一面の記事に興味が湧かない時は、コラムが最初になる。ついでにその横の俳句も見ることになる。

私にとって新聞のコラムのウエイトは高い。読み応えのある記事もあることにはあるが、無ければざっと目を通して、お悔やみ欄と事件等を確認して読了となる。有難いことに、初めから終わりまで全部に目を通すほどの暇がない。そうなるとコラムを読んであまり面白くないと、新聞全体が面白くなくなる。誤解を恐れずにいえば、教科書に書いてあるようなタッチはがっかりする。啓蒙・啓発的なアプローチも、あえてコラムに書く事か?などと感じてしまう。

木下さんのコラムには前述した匂いが余りない。「天声人語」に象徴される、気品や気高さみたいなものも感じられないが、地方紙である徳島新聞の鳴潮コラムに高貴さや博識さを求めても、「○×新聞」のコピーモデルに思えてしまう。その点、木下コラムには、地域の土着性を感じさせながら、何か心に残るものがある。それは知識人ぽかったり、文化人ぽかったりする人たちとは一線を画し、生活人としての軸を持っているからかもしれない。

「コラム鳴潮に出現する奥さん（連れ合い）は、いつも怒ってばかりいるように見える…」

確かそんなコラムを読んだ覚えがある。コラムに奥さんを登場させること自体、「天声人語」「編集手帳」「余禄」では御法度だろう。そんな御法度があるのかどうかは知らないが私は今まで見た覚えがない。ではコラム鳴潮では許されるのか？多分そんなことはないだろう。それを木下さんはあえて打ち破ったのではないかと思う。

では地方紙のコラムはどうあるべきか？といった命題が残る。40年くらい徳島に住んでも、そこはどう転んでも徳島県人になれない自分を振り返ると、醸し出す匂いが違うのだろう。木下さんには、徳島県人としての匂いがあるように思う。そしてそこから少し距離を取って、自分の立ち位置を俯瞰する視点と「それってホンマかいな？」というジャーナリズム的視座も持ち合わせているのだろう。

そうでなければ、地方の出来事を絡めた啓蒙啓発的、教科書的なアプローチになりがちになる。そんなコラムはせっかくの朝を台無しにする。時々木下コラムに見られた、なるほどなあと余韻が残るものが欲しい。

太陽と緑の会　代表理事　杉浦　良

すぎうら・りょう
1953年　愛知県生まれ。同志社大学工学部に入学後、知的障害児更生施設でボランティア活動に参加。その後社会学科社会福祉専攻に転部し卒業。84年徳島市で「人も物も活かされる街づくり」をコンセプトに、福祉共働作業所太陽と緑の会リサイクルを設立。2000年NPO法人となり現在に至る。徳島県障害者地域共同作業所連絡協議会事務局長

あとがき

今日この日、何を書くかを考えるのに多くの時間をとられ、昨日の反省をしている暇はありません。新聞のコラム書きは日々、自転車操業。意外に忙しいのです。いったん紙面に載った自分の文章を見返すことはまれ。第一、気恥ずかしい。とりわけ、割にまともなことを書いたよね、人生を語っちゃったよ、という翌日はなおさらです。

そんな具合ですから、書籍化の話が持ち上がったとき、最初は断りました。そもそも、鳴潮のような時事コラムは鮮度が命。残しておくような種類のものではない。いまさら、もういいじゃないですか。そんな感じでしたかね。

気が変わったのは、同僚が選んでくれた原稿を眺めていてのこと。2千本近くと、量だけはたっぷりあるコラムを読み返す忍耐力に敬意を表しもしましたが、それよりも何よりも、取材したあの人、この人の面影がよみがえってきて、これは再録すべき価値があるのではないか、と考え直しました。書いた本人が言うのも厚かましいですが、なかなかいいのです。

作家マーク・トウェインのハックルベリー・フィンの物語が好きで、生き方の指針にもしています。以前にも書いたことがありますから、ご記憶の方もおられるのではないでしょうか。

友人になった黒人奴隷を裏切るか、それとも逃亡を手助けして地獄へ行くか。ハックが二者択一を迫られる有名な場面があります。舞台は奴隷制が当たり前だった19世紀の米国南部。奴隷を逃がすのは重罪で、手を貸せば地獄に落ちるとも言われていました。

当時はまだ、科学は世界を覆い尽くしていません。キリスト教圏の子どもにとって、地獄は、今では想像もできないほどリアルな話でした。それでもハックはこう結論したのです。「それなら地獄に行くよ」

自分の良心に恥じるような生き方はしない。ハックの行動を突き動かしたのは、そんな信念なのでしょう。ハックは折り目正しく説明できる方ではありませんから、彼の言葉に翻訳すればこんな一言になるでしょうか。「裏切るなんてできねえよ」

同業他社のコラム書きは、テーマが決まらず思い悩む日がよくある、と言いますが、幸い筆者は数日の例外を除いて記憶にありません。困った時は、こんな人になりたいな、という人を思い出せば良かったからです。この本では一部しか紹介できませんでしたが、世間の言う地位や名誉とは無縁でも、こういうふうに生きたいと思わせてくれる人、ハックのように生きる人はたくさんいます。世の中、捨てたものではないのです。

人様より良心のハードルが少し低めなのは気がかりですが、願わくば筆者もそうありたいと思います。この仕事にある限り、そうした人たちを、懸命に、誠実に生きている隣人の姿を、一人でも多くの人に伝えていきたいと考えています。

企画や掲載コラム抜粋、編集・校正作業を手伝ってもらった同僚、装丁をお願いした伊藤司郎氏、松下印刷の美馬孝宣氏。忙しい中、取材に応じてくださった大勢の方々の協力なくして、この本が日の目を見ることはありませんでした。今ひとたび感謝申し上げます。

2023年4月　木下一夫

著者紹介

木下　一夫（きのした・かずお）
一般社団法人　徳島新聞社　理事編集局長

1964年生まれ、同志社大学法学部卒。

出版社勤務ののち、88年徳島新聞社入社。

小松島支局、社会部、編集委員、社会部デスクなどを経て、2013年から論説委員室で鳴潮コラム担当。19～21年論説委員長。22年から現職。03年知事汚職報道チームで新聞労連ジャーナリズム大賞優秀賞。

徳島新聞一面コラム　**鳴潮**

2023年5月26日 発行

著　者　木下一夫

発　行　一般社団法人　徳島新聞社
〒770－8572　徳島市中徳島町2丁目5－2
TEL　088－655－7340

印刷・製本　松下印刷株式会社
〒770－0874　徳島県徳島市南沖洲5丁目7－63
TEL　088－664－5522

ISBN978-4-88606-168-3